À FLOR DA PELE

A luta de um médico para ajudar mulheres a lidar com o abuso sexual

Malcolm Montgomery

À FLOR DA PELE

A luta de um médico para ajudar mulheres a lidar com o abuso sexual

1ª edição

www.celebris.com.br
e-mail: sac@celebris.com.br

Editor responsável	Italo Amadio
Editor assistente	Roberto F. Amadio
Coordenadora de produção editorial	Katia F. Amadio
Autoria	Malcolm Montgomery
Projeto editorial	Marco Polo Henriques
Produção editorial	AGWM Artes Gráficas
Projeto gráfico e capa	Walter Mazzuchelli
Revisão	Jacqueline Mendes

Dados Internacionais de Catalogação na Publicação (CIP)
(Câmara Brasileira do Livro, SP, Brasil)

Montgomery, Malcolm
À flor da pele : a luta de um médico para ajudar mulheres a lidar com o abuso sexual /
Malcolm Montgomery. – 1. ed. – São Paulo : Celebris, 2005.

ISBN 85-89219-40-2

1. Mulheres – Comportamento sexual
2. Mulheres – Psicologia 3. Mulheres vítimas de abuso emocional 4. Mulheres vítimas de abuso sexual I. Título.
II. Título: A luta de um médico para ajudar mulheres a lidar com o abuso sexual.

05-0477 CDD-362.8372

Índices para catálogo sistemático:

1. Mulheres vítimas de abuso : Proteção :
Bem-estar social 362.8372

Av. Casa Verde, 455 – Casa Verde
Cep 02519-000 – São Paulo – SP
www.rideel.com.br – e-mail: sac@rideel.com.br

1 3 5 7 9 0 8 6 4 2
0 3 0 5

Prefácio

Todos aconselham fazer de um limão uma limonada, mas difícil é até pensar em limonada enquanto estiver o limão pingando nos olhos...

De muita coragem, "teimosa paixão e cega razão" precisou o meu amigo Malcolm para colocar em livro as reais dificuldades da sua apaixonada convivência conjugal com alguém que sofreu de abuso sexual e emocional em sua infância, "a mais violenta, destrutiva e perversa experiência que os pais impõem a uma criança".

O abuso sexual ainda é tratado como tabu. Fica difícil até simplesmente falar tanto fora quanto dentro de casa desse abuso, principalmente quando o agressor é o próprio pai. Segundo estudos mais recentes, 80% dos abusos sexuais contra crianças são cometidos pelos próprios pais.

O abuso sexual e emocional sofrido por uma criança traz-lhe severas conseqüências, imediatas e futuras, como sentimentos de culpa, de abandono e desejo de autodestruição, que resultam em dificuldades para estabelecer relacionamentos afetivos e não desfrutar da vida sexual saudável. Esse abuso acaba desenvolvendo compulsão e/ou disfunções sexuais, descontrole alimentar, fobias, pânicos, depressão e tantos outros sofrimentos no seu judiado corpo e na sua conturbada alma.

O sofrimento que a abusada leva vida afora é tão grande que acaba atingindo seus relacionamentos, e é tão maligno que somente quem viveu pode transmitir a dor sofrida, mesmo que por tabela.

Malcolm é uma pessoa maravilhosa, afetiva, apaixonada pela vida, que busca sempre ajudar as pessoas, quer profissionalmente, quer particularmente, e me orgulha muito ser seu amigo.

Aperta-me o coração até hoje o compartilhar, mesmo que *a posteriori,* da sua impotência em resolver definitivamente o problema da sua amada e trazê-la a usufruir da vida maravilhosa que poderiam ter tido juntos, apaixonados que estavam um pelo outro.

Sei que o seu maior desejo era poder tirar com as próprias mãos todo o sofrimento da sua amada, ou resgatá-la do seu afogamento nos tumultuados humores que lhe tiravam todo o oxigênio.

Mesmo o meu amigo Malcolm, com todos os seus créditos, não conseguiu vencer a fatal e última batalha, perdendo a guerra contra "a loucura" não louca, mas conseqüente de uma louca agressão de um insano pai, acobertado covardemente pelas pessoas que, mesmo sabendo de tudo, não queriam (ou não podiam) acudi-la a tempo...

Malcolm agora faz a limonada por meio deste livro, *À flor da pele – A luta de um médico para ajudar mulheres a lidar com o abuso sexual*, e ajuda outras pessoas passando o que aprendeu com todo esse relacionamento numa linguagem poética, digna dos apaixonados, sem escapar do rigor científico que esse tema exige, numa mensagem de fé e esperança de que a sociedade possa se livrar desse câncer que fica na alma das crianças abusadas sexual e emocionalmente.

Ao meu querido amigo Malcolm, um abraço bem apertado na sua alma,

... e aos leitores que levam este livro para o fundo do coração, esta imprescindível leitura.

Içami Tiba

Malcolm,
Você é maravilhoso! Amo esse homem sensível
que há em você. Você é o sonho de consumo
de toda a mulher (isso não é uma cantada!)
Como é possível que você veja com tanta clareza
aquilo que nem eu mesma consigo enxergar?
Espero, sinceramente, que este livro seja um grito
de alerta para muitas famílias. Que seja usado,
não somente para ajudar quem sofreu abuso sexual,
mas que auxilie também quem está sendo
abusada agora, neste momento.
Use este seu talento para isto, divulgue seu livro,
abra uma discussão séria sobre o assunto.
Você pode, tem meios para isso.
Na tentativa de contribuir, contei um pouco da
minha "experiência". Mas eu é que fui ajudada
por este livro. Sinto-me compreendida, finalmente.

Obrigada,
Boa sorte!

Sumário

Animal ferido,
Por instinto definido,
Os meus passos desfiz,
Tentativa infeliz de esquecer.

(*Fera ferida* – Roberto e Erasmo Carlos)

Carta aberta ao leitor

Este livro nasceu da minha total impotência em ajudar uma mulher por quem me apaixonei.

Para um médico, não existe sensação pior do que experimentar sucesso no atendimento a tantas pessoas e não poder ajudar a mulher que ama.

Nossa relação não foi muito longa, mas durou o tempo suficiente para que eu me sensibilizasse pela sua profunda ferida emocional, não cicatrizada, que despertava um sofrimento intenso ao ser tocada: a dor de ter sido vítima de abuso sexual na infância.

Durante meses usei toda a experiência acumulada em quase meio século de vida e mais de duas décadas de trabalho como médico de mulheres.

Mobilizei todos os meus recursos afetivos, emocionais e racionais na tentativa de ajudá-la.

Plantei em nosso dia-a-dia compreensão e tolerância, num esforço para harmonizar os momentos em que ela exprimia sua dor.

Despi-me de todo orgulho e vaidade que poderiam me cegar!

Pedi o auxílio de profissionais em quem confiava.

Estudei vários textos para ganhar mais segurança no assunto.

Resgatei toda a força e energia que durante anos procurei preservar por meio de atividades físicas e treinos constantes.

Sintonizei todos os canais que poderiam contribuir para que seu trabalho crescesse e lhe trouxesse mais satisfação e auto-estima.

Abri todas as janelas que iluminariam sua passagem e apontariam atalhos.

Tentei fechar outras que traziam sombra e escuridão.

Lutei todas as batalhas na guerra para arrancar suas raízes do pântano embaçado e nebuloso que era o seu contexto familiar.

Tentei convencer a sua família de que somente com ajuda profissional de boa qualidade traria de volta sua saúde mental, física e relacional.

Mas encontrei a origem e, o pior, a manutenção da doença justamente aí.

Na verdade, a família doente protege a filha dos males gerados na própria família. Pai mineiro, mãe carioca e duas meias-irmãs mais velhas tornavam seu núcleo básico num contexto hiper-religioso.

É um círculo vicioso e sombrio, disfarçado pela fachada de um catolicismo misericordioso e santificado.

Senti essa experiência na pele quando tentava introduzir aquele assunto proibido, que colocava em xeque toda a doença da dinâmica familiar.

Os terapeutas me avisaram, mas na teimosa paixão e na cega razão, eu insistia em dizer:

— Esse assunto precisa ser discutido abertamente em uma terapia familiar!

Contudo, a negação, o medo e a vergonha emergiam tão escandalosamente na expressão dessas pessoas que nenhum *outdoor* anunciaria com mais clareza que era eu um estranho no ninho tentando pôr o dedo numa profunda ferida.

Afaste-se que aqui o time está escalado! Não tem lugar para você.

Eu sempre relutava em deixá-la à mercê de tão sombrio contexto familiar.

Já a sentia como criança emocionalmente abandonada, que regularmente expressava medo de mais abandono.

Embora adulta, vivia regressões e infantilizações quase cotidianas que lhe tiravam a capacidade cognitiva de enxergar sua triste realidade.

A causa da maioria dos distúrbios sexuais e reprodutivos (de dores pélvicas à depressão pós-parto) está na família.

Ali encontrei o centro e a origem de sofrimentos, disfunções, doenças e mal-entendidos sem fim.

Pior: tudo oculto sob a imagem de uma comunidade acolhedora e perfeita.

E nós, obviamente imperfeitos e indignos de tão "preciosa instituição", que muitas vezes esconde agressão e ódio, gerando histórias muito tristes.

Há mais de 7 anos venho convivendo com um estranho aperto no estômago, uma sensação de que deveria escrever sobre isso.

Meu compromisso com a saúde da mulher e, em especial, da jovem que necessita de uma base sólida para estruturar sua vida sexual e reprodutiva encorajou-me a enfrentar mais esse desafio: o de expor a sujeira varrida para debaixo do tapete.

Assim levanto uma bandeira que considero fundamental e prioritária.

Apesar de todo o aparato tecnológico e avanço científico das últimas décadas, nós, ginecologistas, ainda estamos despreparados para lidar com alguns casos que aparecem no dia-a-dia.

Mulheres afetivas, talentosas, criativas e competentes, que perdem, sabotam e destroem quaisquer possibilidades de "ser feliz", relacionar-se com um homem, realizar-se no trabalho, encontrar satisfação no cotidiano, engravidar cumprindo um destino amoroso e sexual saudável.

Foi o que aconteceu com essa linda mulher por quem me apaixonei.

Esperneei, infantilizei, desequilibrei-me e chorei profundamente.

Terminar uma relação quando não existe mais paixão, encanto, admiração, enfim, o tesão acabou, já é difícil e doloroso.

No entanto, perder alguém que se ama e deseja, com plena paixão, é uma experiência de luto indescritiva. É como se ela tivesse escapado por entre as minhas mãos; a depressão, as drogas e a religião a levaram embora.

Hoje, anos após sua partida deste mundo, escrevo por ela, com ela e para ela.

Vou me referir a minha querida parceira e proteger o seu nome com o "Codinome Beija-flor".

Ela nutria uma grande admiração pelo trabalho do Cazuza.

Em seus dias felizes, sempre cantarolava:

"Me chame 'Beija-flor'. Cazuzinha musicou e compreendeu minha dor".

Sinto-me em dívida com essa mulher em especial, e com centenas de outras que viveram, vivem e viverão a mais violenta, destrutiva e perversa experiência que é o abuso sexual e emocional da menina pelo pai e pela mãe.

Talvez por meio desse livro seja possível sensibilizar homens e mulheres de que ter um filho é uma aventura amorosa, mas de grande responsabilidade.

E incentivar a sociedade a refletir sobre um tema incômodo, sobre o qual não se pode mais silenciar.

Coragem! Venha comigo.

Malcolm

Eu protegi teu nome por amor
Em um codinome, Beija-flor.

Cazuza

CAPÍTULO 1

UMA TRISTE REALIDADE

"Estou aqui deitada na minha cama, aventurando-me a escrever sobre um tema como se eu fosse espectadora. Acorda! Você é a protagonista, esta é a sua história, comece a usar a primeira pessoa, EU.
OK, eu fui abusada sexualmente durante mais ou menos sete anos. Talvez mais, não sei."

Romper o véu de hipocrisia. Quebrar a barreira do silêncio.

Já está na hora de refletir sobre um tema doloroso para as vítimas e vergonhoso para a sociedade: o abuso sexual na infância.

O relatório de quase 700 páginas da CPI da Exploração Sexual, que acaba de ser aprovado no Congresso, mostra uma realidade desoladora: o abuso sexual de crianças e adolescentes é um dos crimes mais disseminados no país.

No entanto, faltam estatísticas confiáveis a respeito visto que muitos casos não chegam ao conhecimento das autoridades.

A Associação Brasileira Multiprofissional de Proteção à Infância e à Adolescência (Abrapia), por exemplo, registra em seus arquivos um total de 2.349 denúncias de abuso e exploração de menores, referentes ao período de fevereiro 1997 a janeiro de 2003.

O Estado com o maior número foi o Rio de Janeiro, 799 (21,43%); seguido de São Paulo, 327 (13,95%); e do Ceará, 273 (7,32%).

Será que o predomínio das favelas, ou seja, o problema social da pobreza, faz do Rio de Janeiro o campeão desse *ranking*?

O clima, a linda paisagem e as praias facilitam um erotismo mais intenso?

Será que o Rio de Janeiro é o herdeiro da libidinagem portuguesa do período colonial e o abuso infantil mimetiza hoje o que foi feito com negras e índias alguns séculos atrás?

A explicação é outra, segundo o presidente da Abrapia, dr. Lauro Monteiro Filho. O Rio de Janeiro lidera as denúncias não necessariamente porque a violência seja maior ali, mas porque a sede da Abrapia localiza-se nesse Estado e sua população é conscientizada sobre os direitos humanos.

"O abuso ocorre em qualquer lugar do Brasil", diz ele.

Quanto maior o resquício do colonialismo, maior é a dificuldade para denunciar. O assunto é tratado como tabu, um vespeiro no qual não se deve mexer. É mais cômodo fingir que não se vê. "A doença envolve todos na família", completa Monteiro Filho.

Em mais de 80% dos casos, o agressor é o próprio pai, de acordo com dados da Clínica Psicanalítica de Violência, no Rio de Janeiro, que desde 1996 já registrou mais de 2.000 casos de violência sexual contra crianças e adolescentes de todas as classes sociais.

O incesto, seja velado ou aberto, viola um dos tabus mais antigos da humanidade.

Existem quatro tipos de atividades incestuosas comuns no "lar doce lar":

1. sedução e afetividade com a intenção velada ou escondida em relação ao foco sexual;

2. sedução e afetividade com a intenção objetiva, mas sem chegar ao abuso sexual, limitando-se a carícias sexuais;

3. abertamente é colocada a intenção de se ter a relação sexual e isso é feito com o simples poder da paternidade;

4. abertamente é colocada a intenção e a relação é obtida com força física ou violência.

É freqüente uma abordagem do tipo 1 evoluir para o 2 e com o tempo atingir o 3.

Vitimadas por uma das pessoas em quem mais deveriam confiar, às vezes com a conivência das mães, as crianças sofrem caladas essa experiência, que deixa marcas profundas.

Não raramente desenvolvem sentimentos de culpa, abandono e desejo de autodestruição, que as acompanham ao longo da vida.

Demonstram dificuldade para estabelecer relacionamentos afetivos e desfrutar de sua sexualidade de forma saudável. Manifestam compulsão por sexo ou comida, fobias, síndrome do pânico e especialmente depressão, uma das doenças mais comuns nesse início de milênio.

Minha proposta é analisar os contextos familiares em que o abuso sexual se manifesta e as implicações desse fato na formação e no desenvolvimento da mulher, a partir de uma vivência pessoal e de relatos de mulheres que guardam na lembrança essas experiências devastadoras.

Fratura exposta
À luz do dia
A posta em prática
No final da noite

Sorteio sul e norte
O desnorteio
Perigo à vista
Queima roupa sem dor
(*Fratura (não) exposta* – Cazuza)

Mas antes de iniciar esta reflexão, quero apresentar, rapidamente, os tipos de abusos e maus tratos a que uma criança está sujeita:

Negligência
Ato de omissão do responsável pela criança ou adolescente em prover as necessidades básicas para seu desenvolvimento.

Violência psicológica
Rejeição, depreciação, discriminação, desrespeito e punições exageradas são formas comuns desse tipo de agressão, que não deixa sinais visíveis, mas marca por toda a vida. A educação em religiões de condicionamento também é uma violência psicológica gerando mensagens contraditórias e facilitando psicopatias.

Violência física
Uso da força ou atos de omissão praticados pelos pais ou responsáveis, com o objetivo claro ou não de ferir, deixando ou não marcas evidentes. São comuns murros e tapas, agressões com diversos objetos e queimaduras causadas por objetos ou líquidos quentes.

Síndrome do bebê sacudido

Presença de lesões de gravidades variáveis, que ocorrem quando uma criança de colo é violentamente sacudida. Em conseqüência, podem ocorrer cegueira ou lesões oftalmológicas, atraso no desenvolvimento, convulsões, lesões no cérebro e na espinha e morte.

Violência sexual

Abuso de poder no qual a criança ou adolescente é usado para gratificação sexual de um adulto, sendo induzido ou forçado a práticas sexuais com ou sem violência física.

Seja qual for a maneira escolhida pelo agressor, todas elas deixam marcas profundas na menina, que repercutem anos depois na vida da mulher.

CAPÍTULO 2

CODINOME AMOR

Em nome deste sentimento ou sob o manto dos amorosos laços familiares, perpetuam-se, muitas vezes, vínculos doentios, que edificam personalidades desestruturadas.

Em nome do amor, muitas organizações religiosas iludem e sacrificam milhares de pessoas. Nem é preciso muito esforço para lembrar destas instituições que manipulam o emocional, tolhem o livre-arbítrio, dificultam o acesso à razão e à busca de autonomia.

Em nome do amor, homem e mulher tentam dissimular uma luta pelo poder travada ao longo da história:

O poder da força física e do dinheiro do macho homem

X

O poder da sexualidade e da reprodução da fêmea mulher

Essa é a verdadeira guerra fria que transcorre nos bastidores da sociedade judaica, cristã, islâmica, budista, evangélica – não importa a religião ou a cultura.

O Deus sempre foi macho e o poder é sagrado.

A religião iniciou-se pelo medo.

Começamos nossa vida correndo de grandes animais, trovões, raios, furacões e maremotos. O imaginário tentou simbolizar esse medo.

Surgiu a necessidade de controle do caos da natureza, ou seja, A Ordem!

O culto da terra admite a submissão à natureza. Já nas religiões judaico-cristãs, a reprodução é um culto ao Céu.

Deus é o criador da natureza. O mundo é algo construído, planejado.

A criação é racional e sistemática. Deus preside a tudo com um distanciamento de artesão.

A consciência Dele tudo precede e engloba.

Deus é um espírito, uma presença. Não tem nome nem corpo. Está além do sexo e contra o sexo que pertence ao reino inferior.

Contudo, Deus é claramente um Pai e não uma Mãe!

Eva é apenas uma lasca de Adão. Veio depois, é subordinada.

A masculinidade é mágica: o potente princípio da cristandade universal criado para se opor ao natural poder criativo da mulher.

Inveja pura!

A REVANCHE MASCULINA

Os textos fundadores das religiões modernas atuais – o judaísmo e o cristianismo – trazem a marca da cultura masculina.

O livro do Gênese é o grito de independência, simbolizado na figura de Abraão, aos antigos cultos da mãe.

O Gênese é rígido e injusto, mas deu ao homem esperança de dirigir o espetáculo da vida através do poder da força e do racional.

Só que a mulher continua dominando o emocional e o sexual.

O Gênese refez o mundo pela dinastia masculina e anulou o poder das mães.

Em nome de Deus, a Igreja cometeu crimes inacreditáveis ao longo da história, vitimando principalmente a mulher.

Esse Deus macho foi constituído à imagem e semelhança do narcisismo delineado por esse código patriarcal. A mulher foi amaldiçoada como responsável pelo pecado.

O poder de dar à luz é amaldiçoado; parirás com dor!

Somos todos reféns desse mito culpabilizador que contamina a família, reprime a sexualidade e facilita o desenvolvimento de vários distúrbios.

Todos os dias passam pelo meu consultório dois mil anos de culpa que não permitem à mulher falar sobre seus abusadores.

Como o poder da sexualidade é feminino, desde que o ato da criação passou ao Deus macho, a sexualidade é tida como o poder "mal", do demônio, o *bad boy*, ou melhor, a *bad girl*.

A guerra entre os sexos é vivida – e negada – há milênios.

Mas as mulheres começam a dar sinais de que não agüentam mais esse jogo.

MAL DO SÉCULO

Atualmente, de cada dez pacientes que atendo em um dia, seis usam antidepressivos.

A depressão invadiu o mundo feminino e, segundo cálculos da Organização Mundial da Saúde (OMS), afeta proporcionalmente duas mulheres para cada homem.

Uma das principais doenças desse início de milênio, a depressão, é o avesso da alegria de viver, da esperança e da fé.

A natural superioridade do seu organismo torna a mulher mais longeva e menos vulnerável a centenas de doenças.

Mas quando se trata de depressão, é incontestável a fragilidade feminina em todo seu período reprodutivo e pós-menopausa.

Essa diferença de gênero pode ser atribuída a vários fatores, entre eles o cansaço da mulher diante dessa luta pelo poder que a obriga a utilizar instrumentos masculinos, ou seja, o sucesso, o desempenho, o Ego, o narcisismo e o individualismo.

Junte-se a isso eventos reprodutivos, sociais e econômicos que são únicos na experiência de ser "fêmea" na sociedade contemporânea.

A mulher ocupa cada vez mais papéis de destaque. Em contrapartida, está sujeita a mais cobranças.

Não é mole ser Maria de casar, trabalhar, rezar, amamentar, pecar e ainda ciclar e menstruar.

Os mitos sobre menstruação, gravidez, amamentação, menopausa devem ser colocados em xeque.

> Paquitas de paquete, Xuxas em crise
> Macacas de auditório, velhas atrizes
> Patroas babacas, empregadas mandonas
> Madonnas na cama, Dianas corneadas.
>
> Socialites plebéias, rainhas decadentes
> Manecas alcéias, enfermeiras doentes
> Madrastas malditas, super-homem sapatas
> Irmãs Lá Dulce beaidetificadas.
>
> (*Todas as mulheres do mundo* – Rita Lee)

MULHERES NA BERLINDA

O mundo mudou!

Novos conceitos se desenvolveram na biopsicologia da mulher em sintonia com as mudanças sociais ocorridas nos últimos 50 anos.

Na Era Vitoriana, problemas menstruais eram tratados com repouso e redução ao mínimo de esforço. Tocar piano, podia, desde que não se cantasse.

No mundo moderno, só têm problemas no ciclo as masoquistas ou beatas que ainda acreditam que ser mulher é sofrer.

Privilegiava-se a reprodução e desprestigiava-se a sexualidade. Crises de histeria, em função da sexualidade reprimida, eram comuns em pronto-socorros.

Em meio século, esse modelo se inverteu. Hoje, a sexualidade é privilegiada e a reprodução, desprestigiada.

Nossas avós tinham entre 40 e 80 ciclos menstruais entre a primeira e a última menstruação. Casavam cedo, logo engravidavam, tinham um filho atrás do outro e passavam longos períodos amamentando.

Hoje, as mulheres adiam a maternidade, têm um, no máximo, dois filhos e amamentam por curtos períodos. A média é de 400 a 500 ciclos, e elas se queixam de TPM, endometriose, cólicas, câncer e depressão.

No caso, a depressão pode vir fantasiada com vários disfarces:

- obsessão pela estética corporal;
- mania por dietas milagrosas;
- perseguição pela referência da mídia.

Aliás, vale a pena refletir um pouco sobre o que poderia ser chamado hoje de primeiro poder.

Com o avanço do consumismo e a busca do sucesso a qualquer custo, a mídia extrapolou as barreiras da cultura e das religiões: atualmente escraviza e domina a todos.

A mídia trabalha por meio de sons, imagens e movimentos. São os mesmos poderes da fêmea que emite sinais e controla soberbamente o macho.

Pode-se dizer, então, que a mídia é feminina. E todos os seus consumidores são como machos babando pela fêmea no cio.

A mídia erotiza a mulher, fixando ainda mais a imagem de que ela é um objeto para usufruto do macho no momento que ele julgar mais conveniente.

Você pode estar certo de que o nível de hipnose é igual.

Então, por que tantas mulheres sucumbem à mídia?

Na verdade, sucumbem a elas mesmas porque a mídia vende magia, fantasia e as mulheres são mais susceptíveis a magias.

A mídia permite o "faz de conta", a fantasia. Por meio dela é possível representar qualquer papel, até mesmo o de ser feliz.

A RAIZ DE TANTAS DORES

A mulher nunca precisou provar nada a ninguém.

O brilho é sempre dela. O sexo feminino comanda o espetáculo da vida.

A paternidade é que sempre foi uma possibilidade.

A maternidade é um fato!

O que levaria uma mulher à autodestrutividade?

Por que alguém que conquistou um espaço de sucesso profissional na sociedade jogaria tudo fora tão irracionalmente?

Por que o medicamento mais procurado e vendido no terceiro milênio é o antidepressivo?

É óbvio que a grande maioria dessas questões fica sem respostas. Mas como médico de mulheres, posso assegurar: quase sempre é no desenvolvimento da menina e na dificuldade de se expressar livremente que se constrói esta coreografia.

Por isso afirmo, com todos os meus anos de prática, que a doença depressiva está na mentira. Um estilo de vida equivocado leva à doença.

As pessoas adoecem por alguém, para alguém e com alguém.

O sintoma é simplesmente um código, uma comunicação de um fato que pode estar gravado na memória há décadas.

A criança tem vários "espaços vazios" a serem preenchidos: o espaço da linguagem, da segurança, da confiança em si mesma e nos outros. Para preenchê-los, ela busca informações com o que está mais perto. Se estas informações são passadas de forma distorcida, podem causar sérios danos.

Em tudo o que faz, a criança busca prazer. Prefere chocolate a sopa, brincar a fazer lição, dormir com os pais a dormir sozinha. É aí que se encontra a maior fragilidade infantil e a melhor oportunidade para os maníacos, pedófilos – chame como quiser!

Estes percebem que, ao ser tocada, a criança não sai correndo e chorando para contar a alguém. Sua tendência é explorar a situação. Caso sinta prazer, deixa acontecer. Às vezes, é claro, há emprego de violência física. No entanto, quando o abuso se dá dentro da família, é mascarado de carinho fraternal e mimos, o que desperta na criança sentimentos ambíguos.

Mas como explicar o outro lado da moeda, aquela pessoa que sobreviveu às mais dramáticas experiências infantis e administra com leveza e energia os obstáculos que a vida lhe apresenta?

Que estrutura mágica é essa que pode levantar algumas mulheres e derrubar outras?

Algumas respostas surgem quando "investigamos" o período de formação da estrutura afetiva desses indivíduos durante a infância.

CAPÍTULO 3

NOS BASTIDORES DA FAMÍLIA

Elas querem é poder!

Mães assassinas, filhas de Maria
Polícias femininas, nazijudias
Gatas gatunas, kengas no cio
Esposas drogadas, tadinhas, mal pagas

Toda mulher quer ser amada
Toda mulher quer ser feliz
Toda mulher se faz de coitada
Toda mulher é meio Leila Diniz.

(*Todas as mulheres do mundo* – Rita Lee)

É mais honesto ir direto ao assunto.

Existem famílias predominantemente saudáveis e famílias predominantemente doentes. Nem todos sabem disso!

Mas muitos de nós não têm idéia de que existem famílias muito doentes.

Todas as famílias atuam como um sistema ou uma organização na qual uma pessoa afeta a outra e vice-versa; é dinâmico e circular!

Embora cada membro funcione independentemente, esse membro também afeta e é afetado por todo o romance familiar.

Por aí é fácil entender o buraco da produção independente ou, pior ainda, da mãe solteira abandonada pelo pai da criança e um pote até aqui de mágoa.

Aventurar-se a ter filhos faz parte do nosso desenvolvimento.

Engravidar é dar um passo importante que requer adaptações e ajustes. É um movimento motivado biologicamente. Mas criar filhos saudáveis, requer estrutura afetiva e sexual também saudável – é fundamental compreender essa necessidade com seriedade e lucidez!

Nos primeiros dez anos de vida, período no qual se estrutura a auto-estima, as crianças são frágeis e vulneráveis. Precisam de pessoas predominantemente saudáveis como companheiros na viagem de seu desenvolvimento humano.

Humanizar uma criança é o mínimo que os seres humanos podem fazer.

A MAIOR OBRA DE ARTE

Não é fácil criar filhos. Diria até que é uma das artes que mais exige de um artista.

Pintar um quadro, compor uma música, escrever um romance, desempenhar uma *performance*, tudo isso depende de dom e boa vontade.

Criar e educar um filho para que se torne um cidadão de bom caráter e feliz, com boa auto-estima e garra para correr atrás de seus sonhos, é realmente uma obra de arte.

Eu já testemunhei a ascensão e a queda de vários profissionais e artistas talentosos. E posso garantir que é mais difícil manter do que alcançar o sucesso.

Os mais jovens acompanharam o drama recente de Cássia Eller, os mais adultos conhecem a tristeza da perda de Elis Regina e os mais velhos nunca se conformaram com as mortes de Janis Joplin e Marilyn Monroe.

O que vivenciei são fatos e não idéias.

A vaidade humana é ilimitada e não reconhece os limites do talento, da competência e da inteligência. Diria que nem mesmo as fronteiras do corpo.

Tropeçar no Ego já derrubou presidente neste país.

Quantos pais exigem rendimento escolar altíssimo porque a *performance* do filho em matemática é de importância capital para eles! Como se um eventual fracasso dos filhos nessa disciplina fosse comprometer a imagem dos narcísicos pais.

Eu perguntaria: Qual o efetivo direito dos pais que tentam restringir movimentos de emancipação dos filhos?

Se um deles quiser estudar fora ou não seguir nossa religião, temos o direito de tentar convencê-lo do contrário.

Por que é tão difícil para nós respeitar as escolhas que eles fazem?

LAÇOS DE DEPENDÊNCIA

Nossos filhos se separam de nós, mas não nos desgrudamos totalmente deles. Continuamos dependentes deles e exigimos que a recíproca seja verdadeira.

A imaturidade emocional dos pais é tamanha que não têm a mínima condição de trabalhar pela autonomia dos filhos.

Adultos imaturos necessitam que seus filhos permaneçam dependentes para não serem abandonados por eles.

É comum encontrar nas famílias um discurso moderno, mas as atitudes são preconceituosas e conservadoras, a favor da dependência.

As facilidades materiais e existenciais, o excesso de mimo, impedem que se constitua com firmeza a noção de dever e prazer, necessidade e consumo, educação e respeito, essenciais para que se possa viver em sociedade.

Os desejos vorazes ganham de goleada da razão.

Esses jovens têm que se submeter aos seus pais porque não desenvolveram a força indispensável para a sobrevivência longe deles.

A precária auto-estima desses adolescentes os transformam em presas fáceis daqueles que vendem dependências como drogas e religiões.

Muitos podem escapar, mas apenas por sorte, por acaso e não por condições íntimas e garra para fazer valer o seu modo de pensar, sua personalidade.

Não deixa de ser patético observar que os pais que educam seus filhos para a dependência assustam-se de forma surpreendente com o fato de eles se tornarem dependentes de drogas ou de algumas religiões ou seitas.

MUITO ALÉM DE REGRAS E DOGMAS

O que chamamos de religião não passa de crença organizada com dogmas, rituais e superstições enfiadas goela abaixo por manuais.

Cada religião tem seu livro sagrado, seu intermediário, seus sacerdotes e seus métodos próprios de manter as pessoas sob seu domínio e controle.

Quase todos nós fomos condicionados a aceitar tudo isso. Tal condicionamento chama-se educação religiosa, cujo resultado prático é colocar o homem contra o homem, criar antagonismos não só entre os crentes, mas também contra aqueles de crenças diversas.

Já presenciei casos de mulheres abandonarem os filhos e o marido para irem pregar com um desses manuais sagrados debaixo do braço. Em nome de Deus abandonam as crianças à mercê de Deus.

Só que Deus não alimenta.

Vi filho revoltando-se contra a mãe por antagonismos religiosos, criando climas de guerra santa de dar inveja a qualquer cruzada da Idade Média.

Embora as religiões anunciem adorar a Deus e ensinem o amor mútuo, em geral elas instilam terror com suas doutrinas de recompensa e punição e, com a rivalidade de seus dogmas, perpetuam a desconfiança e o antagonismo.

Influências inibitórias de qualquer espécie de condicionamento, político ou religioso, impedem a liberdade de sentir e pensar e nunca trarão a paz.

Dogmas e rituais não conduzem à vida espiritual, pelo menos, não do modo como eu encaro a espiritualidade.

A meu ver, a educação religiosa, no seu verdadeiro sentido, consiste em levar a criança a compreender suas próprias relações com as pessoas, as coisas e a natureza.

Não há possibilidade de existência plena sem relações. E na falta do autoconhecimento, todas as relações, com cada um e com todos, produzem conflitos e adversidades.

Não é possível ensinar isso a uma criança de forma verbal. Porém, quando os pais aprenderem profundamente o significado das relações, poderão transmitir aos seus filhos, através de atitudes e com pouquíssimas palavras e explicações, o significado da vida espiritual.

A educação geral e religiosa desaconselha a investigação, a dúvida, o questionamento e a crítica.

No entanto, somente quando investigamos o significado dos valores que a sociedade e a religião colocaram em nós é que começamos a descobrir o "verdadeiro" sentido da espiritualidade.

LIBERDADE PARA DESCOBRIR

A adolescência é a época adequada para crescermos com retidão e lucidez.

Se a mente e o coração das crianças não forem moldados por prevenções e preconceitos, então ela estará livre para descobrir, pelo autoconhecimento, o que se encontra além e acima dela.

Não acredito em "religião de condicionamento". A verdadeira religião não pode ser um conjunto de crenças e rituais, esperanças e temores.

Acredito num estado de quietude da alma em que reina a realidade da vida e da morte. Para mim, Deus é a realidade.

Mente tranqüila não é mente condicionada ou exercitada para atingir um estado de tranqüilidade. A quietude ou a paz só vêm quando a mente compreende seus próprios movimentos.

Educação em religião organizada, seja ela qual for, é pensamento que se congelou e com o qual o homem construiu seus templos e suas igrejas. Ela se torna um consolo para os tímidos e um narcótico para os que sofrem.

Devemos ajudar os jovens a compreender seus conflitos e suas dificuldades, e não desviar ou anestesiar a dor e o medo com símbolos fantásticos.

Isso não é educar, como diz um querido amigo, Içami Tiba: "Quem ama, educa".

A verdadeira educação não pode ser restrita a passar regras congeladas e símbolos massificados.

A verdadeira educação é ajudar o jovem a se manter inteligentemente desperto e discernir por si mesmo o temporário e o real; é ajudá-lo a ter uma concepção exata da vida.

Sufocar os jovens com empregos seguros, maridos e esposas ricas, heranças, casamento e a consolação dos dogmas religiosas não é saudável.

Devemos ajudá-los a estar alertas e vigilantes, a não repetir chavões e estereótipos medíocres do significado da vida. Devemos ajudá-los a escapar das armadilhas da caminhada, do estagnado e repetitivo.

Seguir uma ideologia não produzirá jamais um mundo pacífico.

As guerras ideológicas estão todos os dias nos jornais.

Não é saudável e inteligente aceitar "tudo" sem reflexão.

EM BUSCA DA SABEDORIA

Hoje, está claro para mim que o mero cultivo do intelecto, isto é, do desenvolvimento das aptidões e do conhecimento, não resulta em inteligência.

Discuto a diferença entre intelecto e inteligência no meu livro *Dez amores* (Ediouro). Intelecto é o pensamento funcionando independentemente da emoção e da inteligência; é a capacidade de sentir e de raciocinar.

A sabedoria não é artigo adquirível pelo preço do estudo e da disciplina.

Ter a mente aberta e livre importa mais do que "só aprender". Mediante o temor e a opressão não se adquire sabedoria, mas só pelo exame e pela compreensão das experiências de cada dia.

O essencial para o ser humano, jovem ou idoso, é que viva plena e integralmente. O cultivo da inteligência traz essa "integração".

Ser um indivíduo "integrado" é compreender o processo completo da nossa própria consciência.

Meu avô dizia: "Ninguém é senhor de ninguém quando você cultiva sua consciência e sua vida".

Guias e "autoridades poderosas" são fatores degenerativos no processo de crescimento pessoal.

Ao nos submetermos cegamente a uma religião perdemos a "fé no homem".

Medo e submissão resultam na crueldade do estado totalitário e no dogmatismo da religião organizada. Isso é abuso psicológico.

A aquisição de uma compreensão segura do significado da vida e do próprio corpo são prioritários para se construir uma boa imagem de si.

Esse caminho contribui para a maturidade psicológica e a saúde mental. E a tarefa de apontá-lo cabe às pessoas significativas para a criança.

A cada idade buscamos e devemos ser capazes de achar significados em sintonia com a nossa capacidade neurológica de simbolizar essas experiências.

Pequenos passos a partir do irracional capacitam a criança a se entender melhor.

Quando os adultos, com importância afetiva para aquele pequeno ser, traem e subvertem esse desenvolvimento, a criança busca forças para tentar não dissociar afeto de confiança e carícia de amor.

Indivíduos afetivos e saudáveis podem ser pais amorosos e até errar sem prejudicar seus filhos.

Pessoas pseudo-afetivas e doentes mentalmente poderiam ser agraciadas com a justiça de serem estéreis, para que os filhos não paguem pelo seu desequilíbrio.

É preciso chamar a atenção e estar atento à sociedade do buraco negro, da escuridão, que é o abuso sexual da criança.

Na minha experiência clínica observei que:

- nas famílias muito pobres, o inferno já é aqui e vale tudo. Não existe limite;
- nas famílias muito ricas, o paraíso é aqui e também vale tudo.

A classe média é mais saudável.

NO FOGO CRUZADO

Toda a organização familiar tem como função ou proposta dar base para as crianças estruturarem-se e desenvolverem-se bem afetivamente.

Porém, quando esse equilíbrio é quebrado, esta organização deveria tentar reorganizar e resgatar a estabilidade perdida. Infelizmente, muitas pessoas não têm consciência disso.

Quando o casal não tem um vínculo honesto e amoroso, não desenvolve intimidade, cumplicidade e trocas emocionais saudáveis, esses desequilíbrios vão ser direcionados ao resto do sistema. Infelizmente, elege o ser em formação, a pobre criança.

Nos relacionamentos incestuosos e acobertados por uma fachada, a criança-menina é eleita a jóia rara e a princesinha, tanto pelo pai como pela mãe ou, ao contrário, a lata de lixo da doença familiar.

Todas as fichas são apostadas nessa criança!

> *"No meu caso, para minha mãe, eu era a pior 'coisa' que existia. Tudo o que eu fazia estava errado. Era como se ela tivesse ciúmes, raiva de mim."*

A menina-criança torna-se "a confidente" das frustrações e das insatisfações. As queixas das dificuldades e o veneno da doença do casal são inoculados diretamente na veia da filha – não importa a idade e a imaturidade do desenvolvimento neurológico e emocional dessa filha.

Solidão, brigas, traições e insatisfações com o casamento e a vida sexual são tópicos cotidianos de conversas com essa menina.

A criança sente-se completamente deslocada em relação a tudo isso, mas coloca-se no papel de negociadora da mãe no resgate da estabilidade do casal.

Assim, começa a posicionar-se como esposa substituta; "a regra três" no sistema falido desse casal e, por desgraça sua, seus pais.

Ambos os cônjuges são ativos participantes desse sombrio relacionamento incestuoso, como bem pontuou uma paciente minha:

> *"Acredito que a mãe seja passiva. Ela assiste a tudo e não faz nada, talvez por medo, vergonha, dependência...*
> *A 'coluna' que sustenta a família é a mãe. Se ela não é, ou não está bem resolvida, não cumprirá o seu papel de proteger seus filhos, até mesmo do pai, se for preciso.*
> *Sei que isto soa machista, mas não é. Basta olhar a natureza e ver como as fêmeas defendem suas crias. A primeira pessoa que a criança procura quando não está bem é a mãe.*
> *Por isso, ela tem de estar sempre atenta aos sinais.*
> *É quase impossível padronizar os sintomas para fazer o diagnóstico de alguém que foi abusado.*
> *Pelo fato de este assunto me interessar, estou sempre lendo a respeito. Além disso, conheci algumas pessoas que tiveram este problema. Isto me possibilitou a aprender que temos comportamentos instáveis, atípicos.*
> *Podemos viajar, em fração de segundos, do amor ao ódio, da esperança ao desespero, da audácia ao medo, do desejo de viver ao desejo de morrer. Somos instáveis. Desejamos sempre o que não temos, pois na verdade estamos à procura de nós mesmos, de nossa identidade que ficou perdida."*

Instabilidade é tudo o que uma criança não deve experimentar nos seus pais – a estabilidade emocional do adulto é prioritária para a criança desenvolver a sua estrutura emocional.

Logo, é fundamental que o indivíduo que pretenda ter filhos saiba da responsabilidade que é cuidar da estrutura afetiva e sexual da criança.

A CRUELDADE DO INCESTO

O incesto ocorre quando há contato sexual em quaisquer relacionamentos onde haja dependência. O mais óbvio é isto ocorrer entre pais e filhos.

No entanto, também pode haver abuso de poder em outros tipos de relacionamentos de dependência emocional, quando uma das partes é frágil e desamparada e a outra detém o controle da situação: líderes religiosos e fiéis, professor e aluno, terapeuta e cliente, médico e paciente, patrão e empregado.

Poderíamos chamar de relações oportunistas nas quais uma das partes se aproveita de situações de desequilíbrio para obter ganhos na relação.

O contato sexual nestas relações nunca é justificável porque envolve sempre uma "perda de escolha". Quem está fragilizado abre espaço para que a pessoa dominante se aproveite para obter favores que chegam até o sexo.

Estas situações são simbolizadas emocionalmente como incesto, porém, nesses casos, o abuso pode ser sofrido por adultos infantilizados e dependentes. Seja como for, por serem adultos, em geral, têm mais recursos para se defender.

É muito diferente do abuso incestuoso sofrido pela criança por parte do pai, da mãe, do padrasto e de pessoas afetivamente próximas a ela.

No caso de uma família desestruturada, o pai atende suas necessidades através da criança e a mãe se alivia de não ter um compromisso com a insatisfação do parceiro.

Pouco cruel!

No convívio com Beija-flor, muitas vezes ouvi relatos da lembrança viva do encorajamento da mãe para ela se colocar no seu lugar e brigar com o pai padrasto que saía com prostitutas.

— Filha tome conta dele, vigie e se necessário brigue! Estou contando com você meu anjinho! Deus vai te ajudar.

Inocentemente, a criança espera conseguir encontrar alguma necessidade do pai ou da mãe para tentar atenuar.

E dentro desse ninho de amor, em algum ponto desse pseudoromance familiar, há hostilidade e agressão da melhor qualidade.

Agressividade de fazer inveja aos mais sádicos pervertidos.

Os desejos homicidas do inconsciente que a menina tem para se defender infelizmente são negados e reprimidos. Ela não consegue organizar uma reação.

Nesse contextozinho básico da formação da criança se desenrola o roteiro mais odioso e sombrio. O abuso sexual infantil é mascarado por fachadas de casal feliz, religioso e cristão.

É o corte mais profundo, o tiro mais certeiro e a perversão mais ferina que a "santa e idolatrada" família pode colocar em uma criança.

É a musica mais fúnebre que reverbera todo o tempo e que faz emergir a dor e a vergonha de todos os membros da família.

Daí a negação, e a não validação do fato.

PRESAS NUMA ARMADILHA

Esses fatos reais demonstram que a mulher abusada na infância "**continua abusada na fase adulta**".

As crianças trapaceadas continuam presas nessa armadilha ao longo de sua vida. Quando se tornam adultas a realidade do incesto continua sendo negada.

Uma vez adulta, sente embaraço de seus traços de dependência e procura preencher as necessidades do pai e da mãe a custo de sua própria habilidade de evoluir afetiva e socialmente.

O depoimento a seguir é bastante sugestivo.

> *"A dependência existe, é como se uma parte de nós continuasse criança, carente. Tentamos e até conseguimos disfarçar, mas às vezes não dá para segurar,*

cai a máscara e ali estamos nós, sozinhas, pedindo socorro. Então procuramos uma figura masculina forte, protetora. Carregamos esta carência e ela nos leva a cometer erros ao escolher nossos companheiros e a continuar procurando esta família, apesar de nos fazer tão mal."

Aceitar nossas necessidades pessoais de dependência é uma importante lição no aprendizado de como estabelecer intimidade com outra pessoa.

A mulher seduzida pelo incesto não encara esse fato. Continua a sabotar o desejo para alcançar os benefícios da intimidade e do amor com outra pessoa. As necessidades do outro se sobrepõem às suas próprias.

Nesse contexto, torna-se muito complicado sentir prazer. Afinal, a mulher não sabe exatamente o que sentir. As emoções estão misturadas, embaralhadas, confusas.

"Odeio o fato de ter sido abusada sexualmente por um homem que eu amava como pai. No entanto, nas minhas fantasias, quando sinto prazer, o homem que idealizo 'tem nuances*' de pai. Ele é carinhoso, autoritário, imponente e, acima de tudo, é alguém que admiro. Não é contraditório?*
É como se houvesse um vazio em mim que nenhum homem poderia preencher. Esse espaço era de alguém que me machucou muito e fechou todas as portas.
... Não consigo parar de chorar, vou dar um tempo."

AGRESSÕES VELADAS

Nessas famílias paga-se amor com "condicionamentos".

É um truque indecente, uma autorização para agredir de forma velada.

Imaginem vocês: o pai ou o padrasto idealizado como pai, aquela figura querida e idolatrada, sabotando esta confiança.

O pai tem um poder gigantesco neste período de molde; ele é o representante legítimo do mundo masculino.

Quando se torna o agressor, bloqueia o desenvolvimento do afeto, do amor e da confiança.

Prevalecem o rancor, o ressentimento, o ódio e a dificuldade de reagir.

A imagem desses pais fica guardada no porão. No balanço das marés da vida, ela reaparece como um *iceberg* agressivo e arrebenta qualquer "Titanic" amoroso.

Esta menina vai ter poucas chances de confiar nos homens e no amor do homem.

> *".... Eu e minha irmã — a filha dele — dormíamos no mesmo quarto, mas ele só cobriu a mim. Lembro-me da sensação quando ele passou a mão em mim. Era quente e eu gostei. Já naquele momento, aos seis anos, eu sabia que algo não estava certo, mas gostei.*
> *Minha mãe chegou no quarto, acendeu a luz e brigou com o meu padrasto. Não me lembro o que disseram, porém fiquei com muito medo. Sabia que a CULPA era minha.*
> *... Seus dedos estavam molhados e brilhavam. A lembrança daquela mão nojenta me acompanha sempre. Por mais que eu me esforce, não consigo esquecê-la.*
> *Culpa, culpa, culpa, medo, vazio, tristeza. É só o que restou de tudo isso.*
> *Finjo ser adulta, madura, ter superado tudo, mas é mentira. Convivo com essas lembranças da melhor maneira possível. Mas não é fácil. Tive de fazer dois anos de psicoterapia para entender que toda esta dor que sinto vem daí."*

A GRANDE MÃE

Nesse casamento doentio, a mãe também protagoniza a agressão e, muitas vezes, dirige perversamente esse roteiro.

A grande mãe gosta de seu "poder" total sobre os filhos; usa e abusa dele com aprovação e retaguarda total da sociedade.

Veladamente, ela reina no lar doce lar. Porém, tudo o que acredita estar escondendo transparece nos seus gestos, nas expressões do rosto e no tom de voz.

O inconsciente só é invisível para ela, não para quem a está observando.

Ninguém esconde nada de ninguém quando o observador está fora do ninho. Cresce e mantém-se invisível apenas dentro da patologia.

Infalível, eternamente protetora e provedora da vida, a mãe por aqui é um único Deus, sem ateus.

Ela não é uma mulher como as outras. Aos olhos da família, é bonita, amorosa, poderosa e onipotente. Os céus a obedecem, os filhos também.

Todos os defeitos que os homens atribuem a suas mulheres são negados em relação à mãe.

Eis porque o homem e a mulher adultos, mesmo que tenham sofrido nas mãos de uma mãe medíocre, desprezam sua vivência pessoal. Escondem-se inconscientemente em benefício de uma ilusão reconfortante: "Toda mãe é uma boa mãe".

> *"Os homens jamais atingem o poder perversor das mulheres frustradas afetiva e sexualmente, tão ricas em poderes doentios difundidos sobre a descendência é a feminilidade articulada à maternidade."*
>
> Françoise Dolto
> psicanalista francesa.

UM DESABAFO

"Tenho uma irmã, meio-irmã, pois é filha do meu padrasto. Sentia muito ciúmes dela. O carinho que ela recebia de seu pai era tudo o que eu queria. Por isso, tentava fazer de tudo para deixá-lo feliz, agradá-lo... Não me lembro de ter havido penetração do pênis, mas do dedo, sim. Aliás, foi este episódio que me assustou, me fez sentir dor – eu tinha 9 anos – e resolvi contar tudo para minha mãe. Lembro-me que fiquei muito assustada.
Porém, minha mãe, além de não acreditar, me deu uma surra para parar de mentir. Em alguns momentos, eu mesma duvidava do que acontecia comigo, achava que minha mãe tinha razão – que era coisa da minha cabeça.
...'Senta aqui filha, no colo do pai, me conta o que você fez hoje.' É incrível quantas vezes fui tocada na frente da minha mãe e ela não via! Lembro-me de olhar para ela como se dissesse: 'Olha mãe, não é mentira!'
Odeio minha mãe. Me sinto monstruosa ao dizer isso. Gostaria de odiá-la sem sentir culpa. Não quero ser racional e compreender que ela era 'um pobre diabo', que não teve nenhuma chance na vida. Quero odiá-la e ponto!
Provavelmente depois deste desabafo vou comprar um presente para ela e me arrepender eternamente de ter dito isto. Mais uma culpa para Margarida carregar... E daí? Dane-se!"

SEM ALTERNATIVA

Não há pior veneno para a alma do que ser obrigado a conviver com pessoas que se odeiam, desprezam, ofendem, humilham e se invejam, quando não chegam a se espancar.

Por serem importantes demais para as crianças, os pais fazem de conta que tudo pode ser disfarçado. E a pobre criança, no seu mundo de fantasia acredita que um dia tudo vai ficar bem.

Este fenômeno é interessante: a criança mantém um sentimento de idealização dos pais.

Conversem com qualquer terapeuta experiente e ele vai confirmar a história mais ouvida em todos os consultórios de psicoterapeutas: a dos filhos cujos pais não se separaram apesar dos maus sentimentos, da hostilidade mútua e agressividade velada ou aberta.

"Cansei de ler sobre as desgraças que acontecem com filhos de casais separados até o dia em que tive acesso a uma pesquisa americana (1996–1997) de grande amplitude; o que aconteceu com pais briguentos, hostis e que não se separam ou que só se separam depois de os filhos já estarem adultos", escreveu José Ângelo Gaiarsa num de seus livros.

Segundo essa pesquisa, em cerca de 3.500.000 (é isso mesmo, três milhões e quinhentos mil) casais americanos há violência física e os filhos exibem todos os sinais de uma neurose de guerra: alienados, nervosos, descontrolados, autodestrutivos, bonzinhos demais ou rebeldes incontroláveis.

Todos praticamente estavam inadaptados para viver em sociedade. As poucas exceções que podem se tornar saudáveis fazem parte de um grupo de sobreviventes que a psicologia não consegue explicar.

Os profissionais de saúde mental e familiar sabem que para crianças, ou melhor, para todos nós, inclusive adultos, é melhor viver em dois mundos disponíveis do que viver num só, destroçado.

O importante é ser bem recebida e bem tratada nos "dois", vendo duas pessoas que não se entenderam como casal, mas se respeitam e estão fazendo o seu melhor para "reacertar" e que não deixaram de ser pais responsáveis, afetivos e respeitadores.

Os filhos não poderiam ser melhor lição de vida do que essa: verdade e transparência.

Lição de coragem com baixo nível de encenação e hipocrisia, realismo e honestidade diante de sentimentos e desejos, aceitando os pais como são: sempre diferentes, vivos e flutuantes.

Quando os pais se permitem ser honestos, transparentes e verdadeiros na forma de se relacionar, os filhos também se permitirão.

Já temos exemplos desse modelo.

Mas quando o inverso acontece, poucas crianças escapam da neurose, da mentira, da encenação e, principalmente, da manipulação e da doença.

Um casal alimentado pelo "desamor" e pela agressividade destrutiva de predadores cegos e míopes, desconsidera e ignora a criança como um ser em formação. O resultado é um mundo onde a depressão avança em níveis assustadores. Cerca de 340 milhões de pessoas devem ser afetadas por ela nos próximos anos, de acordo com a Organização Mundial da Saúde (OMS).

DEPÓSITO DE FRUSTRAÇÕES

Nas situações em que o abuso não é objetivo e claro, ou seja, o pai não manipula diretamente o genital da criança, mas usa de subterfúgios sedutores e do seu poder para alcançar objetivos sexuais, trata-se de incesto velado.

As vítimas desse tipo de incesto sofrem muitas vezes espancamentos físicos, além do violentíssimo estupro mental. São tratadas como a "lata de lixo da família", "depósito de todas as frustrações".

Nos casos em que a violência física dá lugar à sedução não raramente a filha assediada se apaixona pelo pai, que ganha uma posição privilegiada aos olhos da menina.

É a idealização fantástica da criança.

Contudo, não há nenhum benefício em ser eleita como especial e receber um tratamento muito sedutor, "protetor" do pai.

CAPÍTULO 4

PRINCIPAIS REPERCUSSÕES

Faço nosso o meu segredo mais sincero
E desafio o instinto dissonante.
A insegurança não me ataca quando erro
E o teu momento passa a ser o meu instante.
E o teu medo de ter medo de ter medo
Não faz da minha força confusão
Teu corpo é meu espelho e em ti navego
E sei que tua correnteza não tem direção.

(*Daniel na cova dos leões* – Legião Urbana)

Quando chega à idade adulta, a mulher-menina mantém o sentimento ambivalente em relação ao pai e à mãe. Contudo, para atenuar e até negar a profunda dor do abandono e da vitimização, continua a idealizar a família.

A silenciosa sedução, que muitas vezes chega a experiências corporais como beijos na boca e carinhos sexuais experimentada por essas meninas, pode influenciar e até mesmo desestruturar sua sexualidade, sua intimidade e seus relacionamentos amorosos, profissionais e sociais.

Vou citar apenas os danos emocionais mais comuns que se manifestam na menina abusada afetiva, emocional e sexualmente.

1. Freqüentemente essa menina apresenta e verbaliza sentimentos de amor e ódio pelo pai.

Por um lado, sente-se privilegiada pela reação especial, por outro, nunca se acha suficientemente boa para esse mesmo pai.

Daí sobrevém um sentimento de culpa que resulta em raiva. A agressividade é disfarçadamente expressada.

2. Em contraste com a relação de amor-ódio pelo pai, sente-se abandonada pela mãe. Nutre por ela um sentimento hostil e ambivalente.

Com freqüência, a relação mãe/filha é competitiva. A mãe é encarada como uma adversária, uma rival.

3. Sente-se culpada em relação às suas necessidades e a seu desamparo. O passar do tempo desperta nela angústia e ansiedade. Não consegue identificar quais são os seus reais desejos.

Em geral, ela tenta parecer muito forte e prestativa com relação ao pai ou aos pais. Atender a necessidade deles é uma forma de resolver as suas.

Há uma mistura confusa entre suas necessidades e a dos pais.

4. Tem um sentimento crônico de inadequação e inutilidade.

Não foram poucas as vezes em que ouvi o canto triste de Beija-flor expressar sua baixa-estima: "Eu só atrapalho, não sirvo para nada, sou um peso para você e toda a família".

Acredita que para ser útil precisa **cumprir a idealização dos pais**, em vez de ser o que ela é.

5. Entra e sai de vários relacionamentos e "nunca" está satisfeita.

Persegue o parceiro perfeito e a relação perfeita, como ilustra o depoimento a seguir:

> *"Nunca consegui conservar uma amizade verdadeira. Sou muito desconfiada. Entro com tudo, dou tudo de mim e fico à espera do momento em que esta pessoa irá me decepcionar. É obsessivo, doentio. Várias vezes me afastei de amigos que até hoje não sabem o motivo do meu sumiço."*

Estabelecer intimidade é uma missão impossível para essas mulheres-meninas.

Geralmente demonstram ambivalência em relação a "compromisso" nos relacionamentos, que se tornam instáveis.

Portanto a dualidade de sentimentos experimentada em relação a pai e mãe se estende aos companheiros, amigos, enfim, a todos os relacionamentos.

> *"A dor maior é a de não pertencer a lugar algum, ser só. O meu caso é agravado pelo fato de eu viver um relacionamento em que fisicamente o incesto está explícito. Não quero sair de casa para mostrar aos outros que eu fui e continuo sendo 'uma garota muito má', impura. A solidão é a droga que me satisfaz.*

Posso ler no olhar das pessoas a reprovação, o repúdio. Ah, se elas soubessem! Não sentiriam desprezo, mas sim uma profunda pena."

6. Rejeita a hipótese da maternidade, por isso abortar é comum nessas mulheres-meninas.

Ter um filho é gestar uma relação. E uma relação por toda uma vida.

Aborta-se a intimidade, o compromisso e a longa relação.

Para ela, a possibilidade de se comprometer na relação com uma criança é conflitiva e aterrorizante.

Vive justificando seu terror a ter um filho com desculpas banais. Mas, no fundo, teme o compromisso com uma relação de amor. Isso faz surtar essa mulher-criança abusada e violentada.

UM PÉ DENTRO E O OUTRO FORA

Todos esses sentimentos ambivalentes tornam a mulher extremamente cautelosa nas suas relações.

Ela prefere ter um pé dentro da relação e um pé fora.

Um pé em São Paulo, um pé no Rio. Um pé no Brasil, um pé em Nova York.

A doce família contribui, fazendo comentários do tipo: "Você fica mais alegre e feliz, sozinha, sem namorado!"; "Você não tem jeito para a maternidade!" ou "Procure o padre, ele vai te ajudar".

Ela ama encontrar-se a si mesma em relacionamentos passados. Na sua fantasia, o ex-namorado é sempre melhor que o atual.

Aos seus olhos, o relacionamento anterior foi maravilhoso, mas por algum motivo, não deu certo. Se as coisas fossem diferentes, seria uma relação maravilhosamente perfeita.

São justificativas racionais para atenuar a dor e o medo da intimidade e dos relacionamentos. Afinal, essas mulheres-meninas não conhecem a relação sem o abuso do poder.

TENDÊNCIA A COMPULSÕES

Na área da sexualidade, a principal característica das mulheres abusadas na infância é a hipersexualidade.

A compulsão por sexo é a "norma" nesses casos.

Algumas poucas sofrem disfunções de desejo e orgasmo. Podem evitar sexo, numa tentativa de se livrar desse passado.

Outras só conseguem ter prazer imaginando ser uma prostituta que domina ou é dominada pelo homem.

Para a maioria, no entanto, sexo torna-se uma droga, uma adição obsessiva e compulsiva.

Às vezes, há alternância entra a mania por sexo e a aversão ao sexo. Essa é a uma característica da depressão bipolar.

Eventualmente surgem outras compulsões e adições como a dedicação exagerada ao trabalho, a busca de sucesso e de destaque.

A comida também costuma ser alvo dessas compulsões. A mulher come compulsiva e vorazmente.

O depoimento abaixo é eloqüente. Mostra como o hábito que os agressores cultivam de presentear, ou melhor, comprar a criança com balas, chocolates, bonecas e passeios, a fim de conseguirem o que querem, dá margem a distorções no futuro.

> *"Quando meu padrasto queria me tocar, sempre ficava 'bonzinho': mudava a voz, os gestos, me dava uma bala, um doce, uma moeda. Eu aprendi o jogo bem rápido, sabia o que fazer para conseguir o que queria. Aprendi tão bem a lição que fiz uso dela quando quis escapar da pobreza. Prostituí-me como menina e como mulher. No primeiro caso, para fazer parte da família. No segundo, para fugir dela.*
> *Tenho pena do Ingo, eu o usei. Representei o papel que ele queria e o cobrei por isso. Acho que fiz muito mal a ele, não por ter cobrado, mas por ter dado em troca 'aquela menina'. Sei que ele vive insatisfeito depois*

que 'amadureci'. Sonha com o que eu fui, achando que vou voltar a ser como antes. Faz tantos anos... Por que ele não desistiu?

Contei a ele sobre o meu padrasto e ele se aproveitou. Percebeu que um lado meu continuava a sentir prazer naquele contexto e usou isso a seu favor.

Não quero mais ter de fingir que sou criança para sentir prazer. Isso me dá nojo."

CAPÍTULO 5

O DESENVOLVIMENTO DA SEXUALIDADE

O contexto em que a criança vitimizada é introduzida na sexualidade pode ser responsabilizado por inúmeras disfunções ginecológicas, sexuais, reprodutivas, além de distúrbios nas relações afetivas e sociais.

Sexo não é sexo para a mulher-menina sobrevivente dessa experiência perversa.

Para a compreensão desse processo, é oportuno analisar como a nossa sociedade ocidental judaico-cristã interpreta o sexo e de que forma a identidade sexual se desenvolve dentro desse contexto.

As crianças nascem com uma natural e imensa curiosidade.

Elas são capazes de se excitar desde o começo. O ultra-som moderno mostra ereções intra-útero no menino.

Esse fato natural e saudável foi e é desvirtuado pelas "religiões de condicionamento", pela deseducação do corpo.

Após o nascimento, as crianças se tocam e sentem prazer. Exploram seu corpo e suas respostas sexuais da mesma forma que eles exploram outras capacidades sensoriais e cognitivas.

Adultos que se desenvolvem afetiva e sexualmente de forma conflitiva, decodificam mal essas experiências de seus filhos.

Suas mensagens são de vergonha em relação à sensação de prazer.

Quando essas crianças começam a experimentação sexual, os toques sensoriais fazem parte do roteiro normal na tentativa de aprender sobre o corpo do outro.

No entanto, tocar o outro e ser tocado por ele, são aprendizados que acontecem "em segredo". Aí, sexo e culpa já estão entrelaçados.

Nossa sociedade dissocia e distorce experiências naturais, ensinando, com muita eficiência, embaraço, culpa e vergonha ao longo do desenvolvimento da sexualidade.

O indivíduo é um animal. Se não tiver limites, extrapola.

O estuprador existe por falha de limite da sociedade.

Nesse roteiro, aprendemos a aceitar o sexo quando é feito por motivos específicos (reprodução, por exemplo). Para a mulher, geralmente tem o significado da obrigação conjugal ou simplesmente o objetivo de engravidar.

Nós não aceitamos facilmente nossas próprias motivações, que podem ser apenas prazer ou interesse pessoal: masturbação, sexo sem reprodução, homossexualidade e atividades sexuais fora do casamento.

MEDO DO PRAZER

"Honrar pai e mãe"
(mesmo que sejam doentes e pervertidos).

Negar sua percepção
atropele seu bom senso, mas honre pai e mãe.

Mais uma vez, a Santa Igreja faz uma fogueirinha básica com os hereges.

Isso pode ser chamado de erotofobia, ou seja, um medo doentio do estado erótico ou do divertimento e da alegria do bom envolvimento sexual.

Porém, com o renascimento dos deuses nas "idolatrias" da massa da cultura *pop*, com a erupção vulcânica do sexo e da violência nesse mundo atual, em todos os cantos os meios de comunicação derrotam o judeu-cristianismo numa batalha em que nem é preciso estratégias e armas.

No campeonato mundial entre o puritanismo e a sexualidade saudável, o paganismo da cultura ocidental ressurge com toda sua natural vitalidade e solidifica, "talvez para sempre", que a natureza humana deve ser encarada com a realidade dos fatos e não com fantasias infantis da religião da culpa.

A deusa mídia emerge para derrotar o "grande deus" autoritário e machista.

Nenhuma religião transcendental pode competir com a magistral proximidade dos meios de comunicação de massa.

Os meios de comunicação, em resposta à preferência popular, driblam facilmente os censores que por tanto tempo controlaram a sexualidade.

O programa de TV que mais arrebentou nesse início de milênio trouxe um estímulo explícito ao *voyeurismo* reprimido na infância.

É o buraco da fechadura global e o olho universal em comunhão com a natureza sexual do bicho *homo sapiens*.

Esses estímulos ao que foi reprimido na sexualidade, são explorados há 2.000 anos pela Igreja Católica.

São tramas fetichistas e sadomasoquistas que incluem a imagem de Jesus pregado na cruz, a de santa Luzia com seus olhos na mão, a de são Sebastião sangrando, atravessado por flechas. Sem falar nos relicários com ossos.

Nessas tramas há as imagens do objeto de fetiche, como o Sudário, o cálice, a coroa de espinhos, a hóstia. São sempre imagens de martírio e sofrimento

Isoladamente, a TV não é prejudicial. Passa a sê-lo quando a criança vive na solidão com a "babá eletrônica" e não tem parâmetros.

A EVOLUÇÃO NATURAL

O bebê do sexo feminino toca sua genitália (xoxota) porque é gostoso. É um prazer sentir o toque em uma região cheia de nervos e terminais sensoriais.

Ela escolhe "quando" e "como" toca o seu corpo. Está no seu controle.

É o aprendizado natural.

Mas para muitas mulheres – não somente para as sobreviventes do incesto aberto ou velado – esse momento de autodeterminação sexual é desvalorizado, hostilizado e bloqueado. Um gesto "alienígena".

Num cenário ideal, como as crianças começam a exploração sexual?

Elas escolhem por companheiras outras crianças cujo corpo e personalidade estão em sintonia com o seu próprio desenvolvimento.

Ela toca e é tocada.

Ela aprende o que dá prazer e conforto e o que não é prazeroso.

Mais tarde, suas experiências sexuais tornam-se mais focadas. Aos poucos são direcionadas da boneca que protege nos braços, nas suas atividades lúdicas da infância, para atividades sexuais que lhe darão um bebê real.

Ela aprende a distinguir o beijo amistoso do beijo amoroso e sexual, afetos e desejos integrando afetividade e sexualidade.

Experimenta beijando, íntima e profundamente; partilha carícias intensas. Até que finalmente participa da relação sexual (coito), uma atividade vivida no genital, cuja proposta natural é o orgasmo.

Passo a passo, a menina aprende quais atividades sexuais a divertem e as que não lhe agradam.

Então decide quando quer perseguir um certo tipo de ato sexual e com quem. E qual é o momento de perder sua virgindade.

Nesse "mundo ideal", a decisão é sua e não o resultado da pressão desta ou daquela pessoa ou de qualquer violência.

A criança aprende o valor de seu corpo e sua livre e saudável expressão para integrar na atividade sexual por seu próprio desejo e prazer, e também pelo vínculo com o parceiro.

Entende que esta é a sua particularíssima experiência da sexualidade e a vivencia como orienta seu desejo.

Todos nós, pais, temos nossas dificuldades, erramos e acertamos. Ao observar meus filhos, vejo que acertei mais do que errei.

Hoje são dois homens grandalhões, extremamente afetivos e carinhosos. Abraçam e beijam naturalmente as pessoas de quem gostam. São comunicativos, solidários e respeitam o outro.

Isso é afeto e educação. Sinto-me feliz em ter a sensação de que eles são felizes e serenos. A serenidade no adolescente é a confirmação real do equilíbrio.

ENQUANTO ISSO NO MUNDO REAL...

Não são somente as experiências das vítimas de incesto que variam e fogem desse **ideal**.

No mundo real, diferente do mundo ideal, muitas vezes a violência é imposta, verbal ou fisicamente.

De um modo geral, a mulher não experimenta masturbação e sexo associado ao seu próprio desejo.

As pesquisas nos mostram e minha experiência clínica confirma: uma boa parte das meninas inicia-se sexualmente por pressão dos meninos.

O contrário é raríssimo: dificilmente um menino se inicia por pressão da menina.

Isso também está associado ao hormônio sexual masculino. A testosterona estimula o menino a avançar.

Freqüentemente ouço mulheres se queixando de não usar seus direitos de controlar quando querem ter sexo, principalmente se estão grávidas. Os parceiros não encaram bem um "não" se eles desejam ter relação.

Ainda em muitas culturas, a mulher vem em segundo plano em relação ao feto. Ainda é vista como uma máquina reprodutiva.

Reprodução sobre a qual ela não tem controle.

Pura escravidão reprodutiva.

Mas é importante lembrar que a mulher não pode, nem deve se colocar como vítima de uma situação que é capaz de evitar.

O atentado ao World Trade Center, em Nova York, em 11 de setembro de 2001, revelou ao mundo a imagem da mulher no Afeganistão.

Após esse ato terrorista, vimos muitas imagens divulgadas pela TV de uma realidade imposta por religiosos extremistas.

Uma imagem de mulheres vivendo em condições horrorosas, em regime de terror constante.

Em muitas culturas a sexualidade se submete a regras ultrapassadas e desumanas. Em muitos aspectos, foge da função erótica. Tem outras conotações e simbologias.

SEM OUTRAS INTENÇÕES

Biologicamente nós nascemos macho e fêmea. Aos poucos vamos nos identificando com o masculino ou o feminino no psicológico e, com o tempo, nos tornamos homem ou mulher no social.

A totalidade da natureza humana é a integração e o desenvolvimento harmônico destas três áreas.

Para isso, é importante o conhecimento do próprio corpo, dos sentimentos, emoções e reações que envolvem a resposta sexual.

Tudo isso é integrado à auto-estima (como eu me sinto) e à auto-imagem (como eu me vejo).

O sexo tem componentes físicos, emocionais e culturais, e para alguns, espirituais, sendo assim, envolve a pessoa inteira, a totalidade de sua natureza.

Sexualidade também existe no contexto das relações com você mesmo e com o outro: estranhos, íntimos, amigos e família.

O sexo, entretanto, não está envolvido em todas as relações que temos.

Acariciar a mão na hora de cumprimentar uma amiga pode não ter conotação sexual. É simplesmente uma manifestação de carinho e amizade.

Uma comissária de bordo pode encostar sua pélvis em você ao fechar o compartimento superior do avião. Não tem conotação sexual.

O sexo está muito mais na imaginação do que em atos comuns do dia-a-dia.

Mas o indivíduo que vivenciou o incesto velado nem sempre consegue decodificar essas atitudes de carinho e amizade. Para ele, é tudo sexo.

Aqui também observa-se saúde ou a doença na estruturação da sexualidade.

Nas atitudes, no preconceito e no julgamento.

Nós devemos determinar o quanto e que tipo de interesse sexual está presente em cada relação ou em cada atitude.

O VALOR DA COERÊNCIA

Sexo não é apenas um acontecimento isolado. Existe em um contexto. Portanto envolve confiança, dependência ou independência e poder.

Sexo diz respeito a relacionamentos, sociedade e história.

Sexo é sobre a vida. A totalidade da vida.

A experiência de vida inclui tanto sentimentos como comportamentos.

Sentimentos, não podemos escolher. Ninguém ama ou deseja quem quer.

Comportamentos, "na maioria das vezes", podemos escolher e controlar.

Muitas vezes não podemos dizer não ao coração, mas podemos dizer não ao sexo.

A sexualidade saudável deve ser endereçada à criança através da vida, conforme o seu amadurecimento, em idade apropriada.

Se ela for apresentada ao sexo precocemente e de maneira abrupta, está sujeita a sérias conseqüências.

O clima sexual na família tem um peso importante.

Quando os pais estão confortáveis com sua própria sexualidade, prevalece o conforto, a abertura e o diálogo. A família transmite uma visão positiva do assunto, ensina através do comportamento e da conversa sobre sexo.

O importante é que haja sintonia entre o que se fala e o que se pratica. A criança percebe quando a mensagem é dúbia e duvidosa e o resultado é conflitante.

Em suma: deve haver sintonia entre o que digo, o que faço e o que demonstro.

Os pais são referência. É fundamental que essa referência seja coerente.

EMBARALHANDO AS ETAPAS

A criança que é ignorante em relação a seu corpo não reconhece, não se apropria, nem admite naturalmente sua sexualidade sensorial e saudável.

E caso viva em um clima de tensão e segredos sobre sexualidade, estará menos preparada a se abrir a um adulto confiável se for molestada por alguém.

Natural e normalmente, a própria criança vai desenvolvendo sua sexualidade, cada uma a seu tempo.

Mas na menina vitimizada, porém, tudo é imposto fora do seu tempo.

Assim, a mensagem primária que o incesto coloca no *outdoor* da parede do quarto infantil é: sua vida sexual não é sua, sua sexualidade não lhe pertence, seu corpo não é seu.

O desenvolvimento sexual ideal envolve diferentes atividades em diferentes etapas da vida da criança.

Ela assimila a totalidade da sua natureza por meio de experiências, ou seja, ela as integra emocionalmente, fisicamente (sensorial) e intelectualmente em um contexto uniforme e confortável (prazeroso).

Aos 5 anos, os interesses e as curiosidades são muito diferentes dos que se manifestam aos 12, 13 anos e numa mulher moderna de 30 anos, por exemplo.

Aos 8 anos, a menina não sente atração pela musculatura, a presença de pêlos no corpo ou a posição social de um homem de 40 anos.

Mesmo quando uma criança sente tremores e calores ao vislumbrar o musculoso professor de ginástica ou o monitor de um *resort*, suas fantasias não são de ter uma relação sexual, mas acariciar e beijar. É mais romântico e menos sexual.

Mas antes da menina ter tido a chance de se desenvolver em etapas sucessivas de sentimentos, curiosidades e experiências, a sexualidade adulta é "imposta" a ela goela abaixo.

Mesmo se nunca foi tocada, alguém se masturbando "ansiosamente" na sua frente, numa atmosfera de segredo e coerção, é terrorismo sexual.

Sem nunca ter sido beijada gentilmente por alguém, gerando uma natural excitação, de repente seu corpo é forçado a experimentar a estimulação de uma mão adulta.

Meu caro leitor(a), você se lembra o que imaginou quando

um amigo da sua turma lhe contou como é se masturbar ou praticar uma relação sexual?

Muito provavelmente quando uma criança escuta pela primeira vez um amigo imitando o som ou o gesto desta experiência, logo pergunta: "Porra, meu pai faz isso com a mamãe! Será que é legal?".

A criança vítima do incesto, ao imaginar a experiência, mesmo se não faz conscientemente a conexão, sente alguma coisa muito diferente de uma simples curiosidade.

Ela sabe o que sente, pois teve que fazer com alguém.

A sensação é de mal-estar.

E como ela experimenta isso, toma parte no gesto, sente-se responsável.

Então, a vergonha que foi imposta pelos valores sociais é agora exacerbada pela adicional "autopunição" que acompanha a violação sexual.

MENSAGENS NEGATIVAS

O sexo pode ser sentido como sujo e errado.

Crianças aprendem isso pelo que as pessoas falam e pelo que não falam. Pelas reações dos adultos à sua volta quando agem com naturalidade ou carregam conflitivamente sua sexualidade.

O incesto reforça as mensagens negativas.

Violar uma criança sexualmente é sujo, assustador e vergonhoso.

Mas a criança não pode compreender porque quem passa ou carrega essa negatividade é justamente as pessoas com mais significado em sua vida.

Então, ela imagina que isso é sobre sexo e, conseqüentemente, sobre ela.

Para o nível de desenvolvimento emocional de uma criança, atividade sexual associada a incesto é "alienígena".

Os sentimentos da criança e sua compreensão não são compatíveis com o que ela é forçada a suportar.

Isso não é educação, como justificam muitos agressores nas famílias.

Não se ensina sobre sexo a uma criança entre 5 e 8 anos, seduzindo e violentando.

O estrago aparece anos depois, como se pode notar neste depoimento:

> *"Passo por períodos nos quais estou bem e em outros, a maioria deles, estou mal. É uma sensação de desamparo, vazio, uma tristeza sem fim. Sinto-me inútil e tudo parece estar errado. Nesses dias, sinto muita pena de mim, da infância pobre, pobre de tudo. Ao passar pela adolescência – aos 13 anos tive de abandonar meu 'lar'–, e hoje, aos 40 anos, chego ao meu atual relacionamento, que nesse momento também está errado.*
> *É muito difícil sair dessas crises; tento dar um 'chega-pra-lá' em mim mesma e vou levando. Minha força motriz é meu filho. Eu o amo. Ele me salvou. Foi a única felicidade a que tive direito. Apesar de me sentir a pior mãe do mundo.*
> *Antes de ficar grávida, o relacionamento com meu companheiro parecia não me incomodar. Ele queria uma mulher jovem para satisfazer os seus desejos (taras) e eu queria alguém que cuidasse de mim. Era a troca perfeita, uma extensão daquilo que eu vivia na infância: eu, a filhinha; ele, o papai.*
> *Porém, quando engravidei, comecei a me sentir meio 'estranha'. Já não queria participar daqueles jogos sexuais. Depois que tive meu filho, a coisa piorou. Não queria mais ser tocada; a menina se tornou mãe. O que eu mais curtia era ficar com meu filho, cuidar dele, estar 'limpa' para ele. Foi aí que vi o quanto um homem pode ser infantil. Meu companheiro morria*

de ciúmes e quando percebeu que eu não estava disposta a retomar a nossa vida sexual, perdeu a razão e uma noite me violentou (talvez esta palavra seja muito forte, mas o fato é que ele me forçou).
A insegurança e o medo de ficar só me fizeram voltar 'à ativa'. Porém eu não queria fazer isso em casa, só em motéis.
Eu sentia que algo estava errado comigo, mas não sabia o quê. Quando meu filho fez três anos e começou a 'brincar de cavalinho', entrei em desespero. A culpa era minha, eu tinha passado 'aquilo' para ele. A coisa foi ficando tão grave que quando eu o via fazendo aquilo, tinha vontade de chutá-lo, espancá-lo. Este sentimento me assustou.
Busquei ajuda com seu pediatra, não sabia o que fazer, não conseguia lidar com aquilo. Ele me respondeu que era normal e sugeriu que eu fizesse terapia. Então, entendi a minha história, conheci os porquês de tanta dor.
Mas ela não me curou, para esse mal não há remédio. Acredito que cheguei ao estágio maior que um abusado pode alcançar, que é a consciência dos fatos. Saber de onde vêm minhas dores não as cura, mas ajuda.
Nos momentos em que fico presa num quarto escuro sem poder sair dele, agora sei que posso abrir as cortinas para entrar um pouco de luz.
A única saída para pessoas como eu é poder falar sobre o assunto, mas isto é tão difícil! Em quem confiar? Falar com a família é impossível. A psicoterapia é ótima, mas muito solitária. Seria interessante poder participar de grupos de pessoas com o mesmo problema.
Sinto falta de gente, quero ter amigos que me aceitem como sou, sem me julgar. Eu preciso de pessoas saudáveis, desprovidas de qualquer interesse.
Mas quem iria me compreender, me agüentar?"

A VIOLÊNCIA DO ESTUPRO

Qualquer toque, qualquer carinho genital vai contra o desejo da criança e é percebido na infância como estupro.

Muitas vezes, sexo é o preço pago pelo carinho ou atenção.

Aqueles maravilhosos momentos de ternura podem coexistir com o medo, a violência do abuso. A criança aprende a perceber as duas faces da moeda.

Pode crescer imaginando que quer o incesto, que ela induz o incesto.

Essas experiências e os sentimentos vividos tornam-se confusos e emaranhados. Ela não sabe que queria amor e não sexo.

Beija-flor tinha esses sentimentos confusos. Relatava passagens com homens maduros que freqüentavam a casa de seus pais, na sua infância, e na maturidade delirava com psiquiatras, cirurgiões plásticos e terapeutas homens.

Tudo era sexo. Não existia em nenhum profissional uma relação afetiva e carinhosa. Afeto era sempre confundido com sexo.

Afeto = sexo.

Essa era a equação linear; quando não era sexo, falava em violência e dominação.

Ela passou a acreditar que se aceitasse o carinho, queria ser abusada sexualmente. Isso gerava um alto grau de angústia e raiva.

Acessava todos os ódios contidos.

Essas mensagens contraditórias também se apresentavam em muitas mulheres adultas que tratei no ambulatório da faculdade de medicina e na clínica particular.

Eram encontradas em sobreviventes de incesto que perambulavam por médicos em busca de ajuda por meio de sintomas (somatizações) ginecológicos.

O depoimento a seguir ilustra as dores decorrentes de um relacionamento difícil na família:

"Minha mãe sempre me espancou muito, por qualquer motivo. Certa vez, eu estava brincando com minha irmã e coloquei limões nos seios e amarrei um pano para parecer que eu tinha peito grande.
Ao me ver fazendo aquela brincadeira, ela ficou tão furiosa que ainda hoje tenho a cicatriz nas costas, marca do seu ódio.
Estava sempre me corrigindo: senta direito, feche as pernas! Não olhe assim! Não fale assim! Deixe de ser manhosa! Tire o dedo da boca! Pare de ficar mexendo no cabelo! (é uma mania que tenho). Era um inferno!
Foi então que aprendi uma brincadeira da qual gostava muito: ser invisível. Estabeleci todas as regras para a brincadeira, somente eu podia ser invisível. Minha irmã sempre dizia: — É a minha vez! E eu retrucava: — Você é muito pequena, não pode! Se meu irmão pedia, eu negava, dizendo que meninos não podiam. Assim, eu era a única a ter aquele poder.
Só há alguns anos compreendi o porquê desta brincadeira. Crianças são capazes de tantos subterfúgios para esconder suas dores.
Quando eu estou nos períodos depressivos, é assim que eu fico, invisível.
Viva a Sertralina! Viva as drogas capazes de aliviar este tipo de dor."

EMBARAÇO E DOR

A criança e o adolescente do incesto aprendem que a proposta de sua sexualidade é a gratificação da outra pessoa, não de si próprios.

Entendem que seu corpo não lhes pode dar prazer sexual, mas vergonha, embaraço, dor, armadilha, traição e conflito.

Aprendem que sexo é sujo e sinônimo de sacrifício, como revela o depoimento a seguir:

"Às vezes sinto tanto desejo que este me sufoca, transborda em mim. Então, recobro o juízo (ou a loucura) e começo a pôr 'ordem na casa'. Sentimentos sujos precisam ser lavados, passados e guardados no baú do esquecimento.
Há duas pessoas em mim: uma que dita as regras e a outra que obedece. Quando quero sentir prazer, finjo que eu não sou eu, invento uma mulher.
Nas minhas fantasias essa mulher é sempre subjugada e sente prazer com isso. Talvez seja uma forma de eu me isentar da responsabilidade de participar."

CAPÍTULO 6

SEXUALIDADE E DISPUTA DE PODER

Será que sou capaz
De enfrentar o seu amor?
Que me traz insegurança
E verdade demais
Será que eu sou capaz?

Veja bem quem eu sou
Com teu amor eu quero que sintas dor
Eu quero ver-te em sangue e ser teu credor
Veja bem quem eu sou.

(*A tempestade* – Legião Urbana)

Na natureza, sexo e agressividade andam de mãos dadas quando um macho dominado e uma fêmea dominante copulam e procriam em um grupo de primatas.

Esse fato tem uma finalidade: a sobrevivência da espécie em um ambiente hostil. Os mais fortes se reproduzem e os mais fracos ficam afastados de uma transferência genética.

Mas o grupo humano acrescentou à biologia o simbólico, a energia do vínculo afetivo/emocional.

Aí temos os incômodos e os desconfortos do contexto cultural.

No atual contexto de globalização todos vigiam todos no estilo *Big Brother*. Todos competem e a inveja rola solta.

Somos todos concorrentes.

Homens competem entre si, buscando destaque no grupo social, na profissão, no esporte, na cultura. O *status* aumenta suas chances na hora de conquistar e impressionar o sexo oposto.

As mulheres, por sua vez, conquistaram longevidade. Os antibióticos e os anticoncepcionais hormonais modernos trouxeram a possibilidade de não morrer nos processos reprodutivos.

Antes elas morriam muito devido a abortos provocados e complicações de partos. Agora, o número de mulheres excede o de homens.

Em seu ótimo livro *The Natural Superiority of Women*, Ashley Montagu discorre sobre as vantagens que a mulher tem sobre o homem organicamente. A propalada inferioridade feminina não passa de um mito criado pela sociedade patriarcal e difundido através dos séculos.

A mulher possui expectativa de vida maior, por ser mais resistente a doenças e tem um metabolismo mais equilibrado do que o do macho.

Assim, a natural sinalização do sexo não é suficiente na competição pela busca do macho – homem mais interessante à constituição da prole.

Desse modo, as mulheres disputam entre si um destaque físico, e hoje também um destaque profissional.

Desejam ser mais belas que as rivais, mais bem-sucedidas, "ótimas mães", donas de bens de consumo raros.

Quando olho para a que se apresenta com seus grandes seios de borracha, sua pele esticada, seus músculos torneados e malhados, vejo uma mulher armada até os dentes para enfrentar o inimigo, o "homem".

Haja ciúmes entre as pessoas do mesmo sexo e entre os sexos opostos.

A relação homem-mulher nunca esteve tão ruim.

O grau de hostilidade é enorme.

A NOVA GUERRA DOS SEXOS

Além do já sabido e conhecido poder sexual que sempre foi das mulheres, agora elas dispõem de outra arma, antes exclusiva do sexo masculino: a independência financeira.

Os homens, acuados, reagem e lutam para se tornarem mais poderosos e ricos.

Além disso, tentam tornar-se musculosos e belos.

Dá-lhe musculação e cirurgias plásticas.

Tentam entrar na praia que era exclusivamente das mulheres.

Porém, querer despertar o desejo visual nas mulheres é **inútil**.

Homens e mulheres tornam-se artificialmente sedutores e mais exibicionistas do que nunca.

Ocupam-se desses detalhes físicos e materialistas como em nenhuma outra época da história. E esquecem-se do principal...

Os mais idosos tentam imitar os mais jovens e não medem sacrifícios para ter aparência jovem.

Tudo leva a crer que o progresso da ciência e da tecnologia nos trará recursos para viver, "eternamente", com a beleza da mocidade.

Enquanto isso, vivemos uma epidemia de depressão.

A ansiedade de fazer mil coisas em um único dia nos leva à insônia.

Essa mesma ansiedade de se manter atualizado em mil e um quesitos nos faz tensos, assustados e desconfiados.

Resultado: assim como uma manada de bois que estouram em passos tensos e largos, comportamo-nos sem a menor originalidade.

É o *fast-food* do comportamento estereotipado.

A ânsia de múltiplas conquistas e de sucesso crescente parece nunca estar saciada.

Nesse clima de busca de poder é que um pai ou um padrasto ignora as normas da cidadania afetiva e abusa de sua filha nos bastidores do "lar doce lar".

SOB O DOMÍNIO DA INVEJA

Incomodado por sentir-se atraído pelas mulheres, o homem faz de tudo para rebaixá-la e a trata como um ser inferior e menos qualificado.

Fascinado pela mulher jovem e sensual, tende a diminuí-la, escravizá-la, subjugá-la.

Sente, ao mesmo tempo, admiração e inveja.

A hostilidade quase sempre é escondida e disfarçada.

E a natureza agressiva viola suas próprias regras.

Esse homem reprimido por uma mãe fálica e poderosa, endividado com sua auto-estima de macho, escolhe uma menina-mulher e sua filha, para dominar e ser objeto de sua sexualidade mal-estruturada.

O erotismo desse homem é como uma noite escura, tocaiado por fantasmas da mãe que não o amou.

É o espectro da consciência de culpa que avança e age covardemente.

Profanação e violação fazem parte da perversidade do sexo desse homem.

A pureza do corpo da filha é o proibido que deve ser especulado.

O insuportável mistério da pureza do feminino deve ser explorado.

O estuprador é, desse modo, um animal pré-histórico que não foi sociabilizado. Falta o componente humano dentro dele.

No livro *Dez Amores*, falei um pouco sobre o poder de cada um de nós como instrumento para sobreviver. E como cada um administra seu poder na família e na sociedade.

Não existe "poder" maior do que o poder de uma mulher sensual, carinhosa e inteligente.

A mulher que sobrevive ao incesto aprende que o jeito de ganhar aprovação é por meio do seu corpo.

Um corpo que tem um estranho poder sobre o homem.

A mulher desenvolve um elemento de captura subliminar que infantiliza o homem.

Aprende desde muito cedo a usar a sensualidade para realizar seus desejos, carências e vontades.

O incesto reforça a mensagem social de que o papel da mulher é ser subserviente ao homem para satisfazê-lo.

A menina molestada descobre esse lado por meio de uma experiência dolorosa, algumas vezes acobertada pela mãe.

Ela aprende que sexo nada tem a ver com confiança e certamente também não tem nada a ver com igualdades de desejos.

Sexo invariavelmente acontece quando ela é um fator secundário, um objeto. Ela entende que sexo é obrigação, dominação.

Para muitas mulheres, o abuso incestuoso é meramente uma extensão da experiência de distorção do poder.

Daí vem a sensação de que o seu corpo não é seu e sexo não é sua gratificação.

PERUAS E MENININHAS

Nossa atual cultura atrapalha o amadurecimento da mulher.

A mãe veste a filha de 5 anos como menina de 12, a de 8 como a de 15 e a de 15 como a de 21 anos.

Essa matriz social atual "sexualiza a criança" e "infantiliza a mulher".

É uma inversão!

A menininha é travestida de perua e a perua é travestida de menininha.

Não é só a menininha que é treinada para ser a filhinha do papai!

E como a menininha do papai direciona seus atos?

Nós a vestimos com um shortinho que ressalta a bundinha e as coxas e a treinamos para fazer **charme**, o que significa flertes e sedução, caras e bocas, movimentos de cabelo, gestos e olhares fatais.

Esse modelito se perpetua na vida adulta.

A filhinha do papai flerta para obter a aprovação do papai.

Então, quando se casa, o marido usa a imagem do papai, cujo poder ela defende. Assim, ela refaz um novo cenário de incesto.

Uma famosa criança símbolo da sensualidade foi Shirley Temple.

No Brasil tivemos várias Xuxas, Angélicas e Elianas, que ainda adolescentes faziam a alegria das criancinhas e dos pais das criancinhas.

É fato não questionado pelos especialistas na área do abuso sexual que a mulher molestada na infância "cresce para ser mulher feminina estereotipada ou arquetípica".

Sexy sem curtir sexo.

Repetidamente vitimizada continua a procurar. Anseia se perder no amor de um superpoderoso homem. Contemporiza para ele e outras mulheres. Trabalha duro, oferece seu autosacrifício e se consome em sua própria raiva que ela não pode expressar.

O MAIOR SÍMBOLO SEXUAL DE NOSSO TEMPO

Um grande exemplo de mulher destruída pela depressão causada pela dor do incesto foi Marilyn Monroe.

Norma Jean Baker foi molestada pelo pai adotivo na infância.

Sua mãe mostrou-se incapaz de cuidar dela para evitar suas instabilidades mentais.

Ela queria ser atriz. Ela sempre foi atriz.

Já no início da carreira, posou nua para um calendário.

Mais tarde, clareou seus cabelos e tornou-se a mais famosa *sexy-simbol* de seu tempo.

Mas eu pergunto a vocês, leitores: O que ela simboliza?

Marilyn casou várias vezes ou teve relacionamentos com homens mais maduros ou poderosos.

Seu primeiro casamento foi aos 16 anos com um escritor de peças, Artur Miller, um homem de *status*, poder e seriedade.

Ela assumia ter tido "casos" com o presidente John Kennedy e possivelmente com seu irmão Robert.

Tinha uma voz suave e murmurante.

Fez sua fortuna expondo seu corpo.

Era o que o homem queria e o que a mulher não desejava.

Mas as mulheres também se identificavam com sua dor. Freqüentemente tentavam protegê-la.

Ela era a imagem do sexo personificado, mas não por seu próprio divertimento ou prazer.

Sua biografia diz que ela dormia com homens e ocasionalmente com mulheres, tentando agradar aos outros e se satisfazer com o desejo que sentiam por ela.

Seu prazer vinha da habilidade de dar mais do que receber no sexo.

Na sua arte de agradar, favorecia e adulava homens na esperança de que eles lhe trouxessem prazer e satisfação.

A mulher sabe fazer isso com habilidade quando essa é a sua intenção.

Beija-flor demonstrara uma hipersexualidade. Adorava sexo!

Mas tinha uma identidade sexual indefinida, embora preferisse homens.

Muitas vezes me senti o único homem desse universo.

Ela dominava essa habilidade, embora tenha me confessado que tinha grandes dificuldades para chegar ao orgasmo.

Isso só acontecia quando fantasiava uma "cena".

Sexo não era sexo. Tudo acontecia em cenários freudianos e edipianos.

Com Marilyn teria sido ainda pior. De acordo com uma grande amiga e confidente, ela nunca teve um orgasmo. Era uma farsa!

"Marilyn devia estar frustrada quase todo o tempo", disse um músico com quem ela se relacionou.

Ela supunha que ter sexo com um homem era o que ela deveria fazer.

Não é surpreendente que Marilyn Monroe – como quase todas as mulheres abusadas – exagerasse no álcool e nas drogas.

O seu abuso químico persistia apesar da psicanálise.

Tinha muita dor para anestesiar.

O mesmo pude observar em Beija-flor. Durante todo o tempo em que nos relacionamos foi a cinco psiquiatras, a quatro terapeutas e experimentou todos os antidepressivos disponíveis no mercado!

Nenhum funcionava. Nada a ajudava.

A depressão era profunda, principalmente quando se estreitavam os laços familiares e a mãe ou o pai telefonava.

As conversas com os familiares funcionavam como um estabilizador químico de uma reação de raiva e rancor misturado com amor e ódio.

Marilyn sabia que eventualmente isso podia matá-la.

Tentou o suicídio, pelo menos, nove vezes.

Na realidade, o que vinha acontecendo era o que nós médicos sabemos.

As pessoas adoecem por alguém e também contra alguém.

Marilyn vinha morrendo lentamente há vários anos.

Essa menina-mulher se encontrava com a morte em todo quarto que dormia, com uma garrafa vazia numa mão e pílulas para dormir na outra.

CAPÍTULO 7

A CONFUSÃO ENTRE AFETO E SEXO

Para as meninas mulheres que sobreviveram ao incesto, afeto não é afeto; é sexo!

E sexo é uma violência, um assalto. Não é afeto, nem amor.

Sexo se associa à dominação e submissão.

Essa equação linear foi testemunhada por muitas pacientes que atendi. É enorme o número de sobreviventes que têm fantasias sadomasoquistas ou chegam a experimentar tais fantasias.

Um denominador comum é o fato de serem muito sexuais. Procuram o sexo numa freqüência que poderia causar inveja a qualquer garanhão.

Parecem transpirar sexo por todos os poros. Expressam sua sexualidade na meneira como falam, comem e se vestem.

Muitas gastam horas se maquiando. São perfeccionistas. Elas sabem tudo o que um homem quer, pois o seu desejo é duplo, masculino e feminino, e o seu lado homem conhece a mulher ideal.

Durante o tempo em que se maquiam, a imagem no espelho alimenta cenas e projeções do poder que vão exercer.

Mesmo na "fase adulta" podem demonstrar uma paradoxal combinação de máscaras angelicais e/ou "*femme fatale*".

Elas constróem uma imagem de si como a mais pecaminosa das mulheres e, assim, estruturam uma associação contraditória e negativa com sua sexualidade. Encarnam a coragem da mentira, da vida dupla.

Seus sentimentos oscilam entre o desamparo e o poder.

Essa criança foi forçada em tenra idade a criar um senso de si mesma.

À PROCURA DE SIGNIFICADOS

Desde bebês nós precisamos vencer o desamparo de nossa precária condição neurológica ao nascimento.

Chegamos ao mundo com o cérebro de um réptil e necessitamos sobreviver.

Para isso, é fundamental que alguém cuide de nós.

Temos o coração irrequieto e o desejo é mais primário que o pensamento.

A emoção vem bem antes da razão. Esta é a realidade humana.

A busca fundamental do animal humano é encontrar um objeto satisfatório para o seu desejo e toda nossa atividade psíquica consiste em buscar o prazer e evitar a dor.

É o princípio do prazer que estabelece o "propósito" da vida.

A compreensão segura do que o significado da vida "pode ou deveria ser" é o que constitui a maturidade psicológica e a saúde física e mental.

Essa aquisição é o produto de um longo desenvolvimento.

A cada idade "buscamos e devemos ser capazes" de achar alguma "qualidade de significados" em sintonia com a evolução da nossa mente e o nosso poder de compreensão naquela idade.

A partir de pequenos passos, à medida em que se desenvolve, a criança deve aprender a se entender melhor para mais tarde compreender a vida.

Para isso, é fundamental "a imaginação".

Precisamos ajudá-la a desenvolver "símbolos", tornar clara suas emoções, harmonizar suas ansiedades e aspirações.

Encontramos nos "contos de fadas" a linguagem acessível ao que acontece dentro da cabecinha e da realidade infantil.

Nas canções de ninar, a linguagem do "sensorial" entra em sintonia com a "imaginação".

A criança pequena vive intensa e cotidianamente uma ambivalência de sentimentos devido a sua imaturidade biológica. Seus sentimentos dançam entre "o desejo onipotente e seus limites" e a total dependência do outro.

Assim, ela se reprime para não perder o objeto amado.

Se não nos fortalecemos na infância através dessa relação vamos nos submeter aos "opressores". É o que acontece comumente na mulher.

Caso não enfrentemos os opressores com energia, força, sabedoria e reflexão, vamos nos refugiar na magia e na fantasia.

E essa magia pode chegar a nós pelas drogas e pela religião.

Por meio desse mundo mágico vamos tentar realizar todos os desejos não atendidos.

A doença pode aparecer quando existe a desarmonia entre a mente que constrói o mundo e o corpo que busca o desejo, a homeostase e o prazer.

A magia não é a salvação.

SOLUÇÕES MÁGICAS

Iniciamos nossa vida correndo de animais ferozes, tentando sobreviver, nos alimentando e nos abrigando.

Com o cérebro ainda pouco desenvolvido e uma capacidade limitada para simbolizar era comum imaginarmos que o trovão era o grito de um ser maior, o raio seu chicote autoritário, que os rios eram habitados por espíritos e as cavernas, o esconderijo dos demônios.

Da mesma forma que as crianças pequenas e desamparadas, os homens e as mulheres primitivos acreditaram que as forças sobrenaturais nos traziam ou tiravam o alimento.

E assim se simbolizam o bem e o mal.

É fácil compreender qual era o sentimento por trás de tudo isso.

O medo.

Esse sentimento básico cria nos animais um instinto voraz de reação.

Deixe um pequeno animal com medo e acuado que ele vai atacar você.

A busca das drogas e da religião é baseada no medo.

O medo do misterioso, o medo da derrota, o medo do abandono, o medo da solidão e o medo da morte.

O medo é o pai da crueldade e, portanto, não é de admirar que crueldade e religião tenham caminhado de mãos dadas.

A magia da religião é a doença nascida do medo e fonte de incomensurável sofrimento para a raça humana.

O fanatismo religioso produziu, e com toda probabilidade continuará produzindo, enormes quantidades de violência, lutas, derramamento de sangue, homicídios, discórdias, rixas, guerras e genocídios – isso é evidente nos noticiários do nosso dia-a-dia e nos livros de história.

Atrás de sua fachada pacificadora, a religiosidade arrogante levou a imensos prejuízos individuais e sociais ao fomentar uma quantidade incrível de agressões anti-humanas e anti-humanitárias.

Da mesma forma que as drogas alteram o funcionamento psíquico, a magia embriaga os sentidos e anestesia o senso crítico e reflexivo.

Em toda a história da humanidade, os homens nunca praticam o mal de modo tão completo e animado como o fazem a partir da convicção religiosa.

Faço questão de reafirmar que na infância e no início da adolescência a massa humana é sensível e vulnerável aos guias e profetas que se autoproclamam enviados de Deus.

O afeto, os contos de fada, as canções de ninar, os brinquedos e as fantasias mágicas oferecem o oposto, "a essência".

E se existe alguma coisa mágica e divina que pode unir os povos é a música.

Só num grande *show* musical você vai ver brancos, amarelos, negros, judeus, cristãos, islâmicos, protestantes, evangélicos, ricos e pobres cantando e sentindo a sensação de que todos são iguais, com as mesmas esperanças, os mesmos sonhos e os mesmos medos, filhos de um mesmo Deus.

Mas um Deus humano, real, palpável que é a "solidariedade humana", o respeito e a compreensão da diversidade do outro que é diferente de você.

A ALIENAÇÃO DO CORPO

Como tudo na nossa construção afetiva, o corpo é sentido e percebido durante a infância.

O bebê não sabe que tem um braço.

Quando ele bate com seu bracinho no berço, a mãe o acaricia ou o pai dá um beliscão, este membro, o braço, é **impresso** numa região do cérebro como uma realidade concreta.

Ao receber uma quantidade de leite durante a amamentação, a sensação de plenitude do abdômen gera uma percepção do meio interno.

A mulher, diferentemente do homem, constrói um mapa sensorial amplo.

Nós, homens, priorizamos pênis e músculos. Somos focais.

Mas, no geral, a criança, menino ou menina, estabelece uma relação individual ao próprio corpo.

O eu e o corpo são uma coisa só. Um não é dissociado do outro.

Por aí dá para imaginar o quanto a agressão ao corpo tem conseqüências danosas...

Na criança vitimizada pelo incesto existe uma alienação do corpo.

Ela não se considera dona do próprio corpo.

Existe uma região do cérebro onde se imprimem as impressões do corpo.

Na criança molestada, essa imagem é falha por causa da distorção entre o toque, a carícia e a imaginação fantástica.

Os sinais chegam distorcidos, devido à situação de medo, culpa, prazer e vergonha pela manipulação do abusador.

A imagem corporal que se inscreve nessa tela é pobre e associada à baixa-estima.

Muitas vítimas manipulam a forma do corpo para evitar atenção sexual.

A bulimia e a anorexia nervosa são distúrbios relacionados a esse quadro.

As roupas e a forma de se vestir refletem ambivalência entre mostrar e provocar, esconder e cobrir.

Na sua adolescência, Beija-flor, como grande parte das abusadas, se cortava como uma forma de retalhação. As terapias e os antidepressivos não eram suficientes para levantar sua auto-estima. Já adulta, repetia esse ato como forma de aliviar seu sofrimento.

A dor pela dor. O sofrimento pelo sofrimento.

O corpo, nosso bem mais precioso, era machucado como um objeto qualquer.

CAPÍTULO 8

SINTOMAS PREDOMINANTES

É o fim da picada,
Depois da estrada começa
Uma grande avenida

No fim da avenida,
Existe uma chance, uma sorte,
Uma nova saída

São coisas da vida
E a gente se olha e não sabe
Se vai ou se fica.

(*Coisas da vida* – Rita Lee)

Numa das primeiras noites em que dormimos juntos, Beija-flor colocou um lenço muito sensual no abajur.

Supus que tentava criar um clima romântico, uma atmosfera sensual de penumbra.

Ao longo de alguns meses, nosso quarto foi iluminado noites e noites.

Eu tinha dificuldade para dormir com a luz acesa. Às vezes, acordava no meio da noite. Mas aos poucos me adaptei a dormir e acordar na penumbra.

Obstetra tem sono leve. Acostuma-se a acordar para fazer partos na madrugada.

Muitas vezes despertei ouvindo o que Beija-flor falava durante seus sonhos quase cotidianos. Impressionava-me a quantidade de pesadelos que tinha e o terror que geravam nela.

Uma noite ficou marcada. Tive de ir para o outro quarto, amedrontado com a agressividade do seu despertar.

Assustado, imaginei: "Se ela me toma pelos personagens dos pesadelos eu ainda vou acordar com alguns hematomas, com a cabeça arrebentada ou sufocado por mãos me apertando a garganta".

TERRÍVEIS PESADELOS

Os pesadelos se caracterizavam por perseguições. Repetiam-se de duas a três vezes por semana.

Ficava morrendo de pena desse sofrimento.

Dormindo com o inimigo, essa era a sensação!

Porém, ao despertar, ela parecia uma criança assustada que precisava de colo e afeto.

No decorrer da relação, fui compreendendo a profundidade do trauma que foi, para ela e para tantas outras, a entrada sorrateira do pai padrasto em seu quarto durante a noite.

Certa noite, ela chorou muito e narrou a sensação horrorosa da apreensão que viveu por anos, da insegurança se naquela noite ele viria ou não, se ela gostaria ou não, se **aquele prazer que ela também sentia era legítimo ou ilegal**.

Dúvida, culpa, vergonha, raiva e por fim tristeza! Muita tristeza.

Era a seqüência de sensações e sentimentos.

Esse é o primeiro sintoma do sobrevivente do incesto.

- medo de estar sozinha no escuro, de dormir sozinha;
- pesadelos constantes, terrorismos de perseguição, ameaças e ciladas;
- parece que se encontra num beco sem saída.

FOBIAS

> **Dessa coisa que mete medo**
> **pela sua grandeza**
> **não sou o único culpado**
> **disso eu tenho a certeza.**
> (*Queixa* – Mestre Caetano Veloso)

O primeiro susto foi quando descíamos pelo elevador. No quarto andar, a porta se abriu e um casal de velhinhos ameaçou entrar.

Beija-flor deu um pulo, ou melhor, um verdadeiro salto para fora do elevador.

A rapidez do movimento demonstrou a força do ato involuntário.

Foi instantâneo. Um *flash*. Centésimos de segundos.

— O que houve minha filha? — disse a senhora, ressabiada.

Gaguejando e assustada, ela puxou meu braço e retrucou:

— Tenho horror de aglomeração. Num elevador, então, me falta ar. Podem ir descendo, que não temos pressa.

O claustrofóbico sente-se mal em lugares fechados e/ou apertados, como elevador cheio e trânsito congestionado em um túnel, além de irritação em filas.

Muita gente não consegue amar ou se deixar amar por causa desse medo de aprisionamento, do medo de reduzir o espaço da própria vida.

Beija-flor era ambivalente e conflitiva com relação a filhos. Já tinha feito dois abortos e às vezes viajava na magia de ser mãe.

Demonstrava inveja da relação que eu mantinha com meus dois filhos. Fazia de tudo para excluí-los. Muitas vezes, agia de forma infantil, competindo com os meus sentimentos ambivalentes.

É que criança gosta de relações estreitas, de ficar muito tempo no túnel do amor e isso pode trazer essa sensação de aprisionamento.

Trata-se de uma sensação inconsciente de que os desejos e os sonhos não estão encontrando espaço para sua movimentação ou realização.

Esse aprisionamento é simbolizado por coisas físicas: o quarto, o túnel, o elevador e o engarrafamento no trânsito.

Na mulher vítima de abuso, acrescenta-se a realidade da invasão do quarto, do assalto do pai padrasto em plena noite.

Naturalmente, não são essas as cadeias reais. Trata-se de uma devastação na estrutura da confiança dessa criança.

Aí se mistura angústia e ódio.

A angústia de estar vivendo abaixo das próprias possibilidades.

Uma relação monogâmica pode gerar essa sensação em um indivíduo que acha que poderia ter todas as mulheres do mundo.

Esse sintoma, da área da ansiedade, complica-se muito quando se integra à depressão, que tende a potencializá-lo. Ela cria uma espécie de defesa e se fecha em seu mundo.

Traz a sensação de que o tempo está passando e estamos nos enterrando numa vida pequena, de que a rotina está nos tolhendo o espaço da vida.

Então, prevalece a "insatisfação".

Não se pode criar intimidade porque é angustiante e abusada.

O relacionamento não ganha autonomia para ser mais pleno e permitir grandes vôos, intensos movimentos de cabeça e coração.

Todos nós amamos estar amando. Quem ama sente-se iluminado.

Mas se somente o amor é capaz de abrir determinados espaços, ele também fecha outros.

Não é à toa que dizemos que estamos amornados ou amarrados ou ligados a alguém.

No abusado, estar amornado pode simbolizar a prisão erótica criada pelo pai, abusador.

Este vínculo é sufocante!

E o paradoxal em tudo isso é a dança entre sentir-se prisioneira quando existe o vínculo e desamparada na falta dele.

Durante um passeio a uma praça de antigüidades, as barraquinhas se enfileiravam e Beija-flor se sentia mal quando eu me adiantava e visitava alguma barraca na sua frente.

— Por favor, não se afaste, me sinto abandonada e fico sem ar!

A fobia do desamparo é o oposto da fobia dos laços estreitos (claustrofobia).

Espaços abertos e multidões anônimas geram angústia, denominada agorafobia.

Por tudo isso, essa menina-mulher sofre tanto no meio do conflito, e o desgaste energético gera apatia, cansaço e depressão.

Eis aqui um sintoma comum da sobrevivente do incesto:

- medo de locais fechados, de aglomerações, de vínculos sufocantes e da sensação de abandono e desamparo, angústia e depressão.

AUTODESTRUIÇÃO

Fonte de mel
Nuns olhos de gueixa
Kabuki, máscara
Choque entre o azul
E o cacho de acácias
Luz das acácias
Você é mãe do sol

A sua coisa é toda tão certa
Beleza esperta
Você me deixa a rua deserta
Quando atravessa
E não olha pra trás
Linda
E sabe viver
Você me faz feliz
Esta canção é só pra dizer
E diz.

(*Você é linda* – Caetano Veloso)

Beija-flor era uma mulher alta, com um corpo perfeito, olhos castanhos, pele morena e uma vasta cabeleira negra. Era de uma beleza ímpar.

Uma artista plástica com um talento precioso. Tinha uma grande habilidade com as mãos.

Quando se concentrava em um quadro, passava horas em um mundo de imagem e cores. Era difícil entender o "porquê" do seu auto-retrato ser em branco e preto, com predominância de sombras e escuridão.

Suas telas eram poesias de rimas melódicas que qualquer músico poderia decifrar e transformar em lindas canções.

Por isso, quando ouvi pela primeira vez esta frase, amedrontei-me:

— Vou me cortar, preciso me cortar.

Fica muito difícil compreender, mesmo sendo médico, um comportamento de auto-retalhação corporal em uma mulher tão linda, com o corpo tão perfeito.

Mas com o tempo fui aprendendo a enxergar o que eu não queria ver: a autodestruição também aparecia em auto-sabotagens que alcançavam quase todos os segmentos de sua vida.

Profissionalmente era talentosíssima, mas sempre que uma boa oportunidade ou o sucesso acontecia, ela se depreciava e afugentava qualquer possibilidade de usufruir desse ganho.

Socialmente, ia destruindo suas boas amigas e amigos.

Em seus momentos de crise, adorava desagregar.

O artista tem de destruir para criar. Esse era o seu lema em todos os seus relacionamentos.

Não valorizava sua saúde e sua beleza. Aquilo era agressivo para sua culpa.

Não era merecedora de boas experiências.

Afinal, em sua fantasia seu poder sensual ameaçava sua própria família.

Era a responsável por seu pai abusador. Na sua narcísica regressão, tinha levado o pai querido a abusar de seu corpo.

E, assim, contribuiu para destruir a vida do casal, que anos depois se separou, levando sua mãe a tristezas e loucuras.

Não conseguia perceber o que realmente tinha acontecido.

A sua percepção saudável era capenga quando se tratava de compreender a realidade tão dura de ter um pai abusador.

Por isso, precisava se cortar. Aliviava sua dor.

Mais uma vez, a dor aliviando-se com a dor.

Beija-flor tinha momentos de lucidez nos quais compreendia a gravidade do problema. Contava os fatos naturalmente, "rebobinando" o passado.

Depois se arrependia e justificava sua loucura.

Era uma mulher extremamente inteligente. Foi uma pena ter passado pelo que passou.

DESEJO OBSESSIVO DE PRIVACIDADE

Lágrimas e chuva
molham o vidro da janela
mas ninguém me vê
O mundo é muito injusto
eu tô contando os meus problemas
que eu quero esquecer

Será que existe alguém
ou algum motivo importante
Que justifique a vida
ou pelo menos este instante

Eu vou contando as horas
e fico ouvindo os passos
Quem sabe o fim da história
De mil e uma noites
de suspense no meu quarto.

(*Lágrimas e chuva* – Kid Abelha)

Há nesta mulher-menina uma necessidade vital de privacidade.

Esta sensação gerava uma tumultuada relação com os cômodos de sua casa: banheiro, quarto, sala etc...

Talvez decorrente da ameaça persistente da entrada do pai no quarto desta criança e/ou adolescente impedida de trancar a porta do seu quarto.

Mesmo quando dormíamos em minha casa Beija-flor precisava fechar todas as quatro portas que antecediam o quarto.

O medo era real. Um sentimento que todas as noites de sua vida adulta aparecia quando se aprontava para dormir.

Dizia que usava maconha antes de dormir, pois se sentia segura. O Tetracarabinol, produto dessa erva, é calmante e sedativo potente. Durante anos em sua adolescência só dormia depois de fumar um baseado.

Diminuía sua dor e sedava seu medo.

A imposição de carinhos e as manipulações genitais por parte de seu pai na infância deflagravam um medo paralisante.

Isso tudo acontecia à noite. É fácil entender que a noite inspira emoções diferentes. Uma danceteria não faria sucesso de dia, o Frankenstein e o Drácula não teriam o mesmo prestígio.

O efeito da noite sobre nossas emoções é tão fantástico que grande parte dos suicídios ocorre na hora em que o coiote uiva sua dor.

Os crimes "passionais" e o abuso sexual encontram mais inspiração noite adentro, no clima de silêncio e da casa vazia com todos dormindo.

Neste cenário, o amor e o ódio podem marcar presença.

A noite é o palco da sublimação.

À noite, o erotismo ataca de tocaia.

É a tentação da noite *versus* a praticidade do dia.

O sol, poderosamente energético, traz pensamentos objetivos. Existe movimento na casa, afazeres e assuntos concretos.

Mas basta o sol se pôr para que o nosso olhar se torne mais sensível.

Saem de cena os trabalhadores e as donas de casa e sobem ao palco namorados e amantes.

O psicanalista Eduardo Mascarenhas definia o dia como objetivo e a noite como subjetiva.

Sai o trabalho e entra a sexualidade com todos os fantasmas e as fadas da nossa lírica imaginação.

Sonho e sexo. Pesadelos e medos, fantasmas e romances substituem o olhar prognóstico do dia.

À noite, o cérebro age de um modo diferente em relação ao que faz durante o dia. Leva-nos para um lado mais primitivo, no qual afloram as emoções.

A pessoa perde o medo, as inibições. O sexo é natural da lua.

A moçada tá no cio
São donos da madrugada
Não dispensam um agito
No seu coração aflito
Sempre cabe outra emoção
Minissaia da menina
O blusão de couro é rude
Sexo explode em cada esquina

O mundo vive a noite
Todo mundo espera tudo da noite
Nela tudo pode...
O mundo vive a noite
E a fera ruge...
Todo mundo espera tudo da noite
Todo mundo foge
(é da solidão)

(*Olhos vermelhos* – Guilherme Arantes)

Para a vítima do abuso, predominam as bruxas e os vampiros.

Para as crianças e adultos estruturados afetivamente, as serenatas ao luar.

A lua traz inspirações poéticas ou os temores noturnos.

O pão nosso de cada dia é substituído pelo vinho e o arroz com feijão, pelo *fondue*.

O sensorial é ativado pelos movimentos da noite.

O pôr do sol pode evocar os amores que se foram, os sonhos que não se sonham mais.

A noite vai entrando e vamos nos privatizando em quartos, camas e cobertas.

Daí a noção de privacidade invadida ser tão intensa na noite.

Vibrações líricas e ressonâncias sensuais dominam nosso espírito e nossa alma pode cantar alegremente ou chorar secretamente.

Na noite, existe a supremacia do amor e da dor.

A sensação de solidão eleva-se ao extremo.

Como escrevi em *Dez amores*, a nossa sobrevivência emocional depende da platéia.

Mas solidão é diferente de estar só.

Há quem sinta solidão, mesmo numa relação a dois.

Estar só é ter consciência de ser uma parte distinta deste mundo enlouquecido que nos cerca.

Solidão é esperar ser tocado.

Estar só é movimentar-se em direção a seus desejos.

Solidão pede abrigo e proteção.

Estar só é acreditar no próprio colo.

Solidão é viver de acordo com uma "imagem".

Estar só é "viver".

Durante a noite, frustrações iradas, violência, rancor e mágoa da criança vitimizada afloram, ganham corpo, crescem e se fortalecem.

É como se os fantasmas tomassem anabolizantes.

Ficam fortes e malhados como lobisomens das histórias infantis.

É aqui que estupradores e assassinos povoam nossos pressentimentos.

Imaginem essas sensações na criança vitimizada.

Carência e desamparo jogam todas as suas fichas na roleta da noite.

Sonetos macabros. Um filme de terror.

O vinho dos desejos e da paixão se torna o vinagre da frustração. Até porque é na calada da noite que os pesadelos invadem a praia.

É aí que a dor se torna insuportável, na hora da revelação da verdade dos sentimentos.

A noite e o seu mistério nos permitem o mais íntimo de privacidade.

Lembro-me de uma das últimas noites que passamos juntos.

Já madrugada, ela dormia havia algumas horas e eu estudava na sala, preparando uma conferência para o dia seguinte.

E, por mais paradoxal que fosse, o tema era *Depressão: O sintoma moderno da mulher*.

Eu faria a abertura do Congresso de Psicologia do Instituto do Coração da Universidade de São Paulo e estava concentrado nos livros quando ela apareceu na sala, transtornada e agressiva.

Foi difícil acalmá-la. No dia seguinte o psiquiatra a internou. A partir dali, foram internações subseqüentes até que eu desisti e chamei a família.

"Por favor, eu não sei mais como administrar isso", confessei. "É muito doloroso para mim."

Aí compreendi, após meses de tolerância e carinho, o que passa quem convive diariamente com deprimidos que alternam apatia e agressão.

Terminei a relação. Sabia que eu não podia mais ajudá-la e quem sabe até estivesse contribuindo para piorar as crises.

Foi uma decisão difícil e bastante dolorosa, pois eu ainda estava muito envolvido afetivamente.

Como médico, é fácil cuidar, mas para um parceiro, tornou-se uma missão impossível.

CAPÍTULO 9

REQUISITOS PARA A SAÚDE EMOCIONAL

Uma criança necessita de uma base sólida para um desenvolvimento afetivo e sexual saudável.

O que possibilita esse cuidado é a humanização.

Humanizar significa imprimir símbolos e valores humanos.

Essa tarefa é responsabilidade de pessoas significativas com as quais convivemos. Em especial, o pai e a mãe se encarregam de transmitir esses valores.

Caso contrário, haverá um *deficit* afetivo.

No incesto, essa experiência é invertida.

Pessoas significativas exigem e determinam favores em nome do poder e do amor.

Os problemas atuais de uma pessoa, em geral, decorrem tanto de dificuldades anteriores quanto de posições que assumiu na vida e que determinam escolhas mais superficiais.

As emoções básicas, que prejudicam a auto-imagem e a autoestima de uma mulher molestada na infância aparecem em quase todas as suas dificuldades emocionais.

Na *pole position*, a insegurança influencia os seus atos.

As manifestações dessa sensação vão aparecer em comportamentos e atitudes.

Dificuldades de concentração, agressividade exagerada, desinteresse sexual, depressão profunda ou a fuga da realidade pela psicose.

Manifesta-se, ainda, pelo medo de compromisso ou intimidade, um medo de não se sair bem aos olhos dos outros, um constante estado de apreensão e crítica.

Beija-flor vivia insatisfeita. Por mais que seu talento fosse reconhecido e elogiado, nada lhe trazia satisfação.

Era muito triste viver com alguém que não valorizava os dons que a vida lhe deu e que constantemente se perdia em comportamentos autodestrutivos.

Faltam a essas mulheres a base, os pilares que edificam a construção de uma vida valorizada.

O incesto afeta o desenvolvimento que fundamenta essa base.

Assim que o dia amanheceu
lá no mar alto da paixão
Dava pra ver o tempo ruir
Cadê você? Que solidão!
Esquecer ai de mim?

Em fim
de tudo o que há na terra
Não há nada em lugar
nenhum
Que vá crescer sem você chegar
Longe de ti tudo parou
Ninguém sabe o que eu sofri.

(*Oceano* – Djavan)

AMOR

Amar é um verbo que se conjuga com o outro.

O amor honra a outra pessoa.

Revela-se quando demonstramos consideração pelos sentimentos de outra pessoa e preocupações pelo que é o melhor para ela.

Esse é um dever prioritário dos pais: compreender e atender as necessidades do seu filho.

Proporcionar ocupações, jogos, brincadeiras que lhe dêem gratificação.

Quanto mais jovem, dependente e desocupada a criança, mais ela precisa que suas necessidades sejam supridas.

Traumas e violências como o estupro são suficientes para desequilibrar um adulto, que já tem formada sua estrutura afetiva e sexual.

O que dirá uma criança, que virtualmente nasce em um ninho onde o abuso é uma rotina?

O estrago atinge a essência do simbolismo do amor e afeto.

Na fase em que a criança precisa integrar várias facetas de sua personalidade, essa experiência é como uma granada que estilhaça seu Ego e sua estrutura afetiva.

Aí, fica fácil entender, quando adulta, sua dupla, tripla ou múltipla personalidade e seu caráter dividido entre o bem e o mal.

Confirmação plena é apoio e reforço aos sentimentos da criança, percepções, idéias, sua autonomia e seu direito de ser quem ela é.

É a afirmação de sua existência.

Quando as necessidades da criança são encontradas, correspondidas, ela aprende que elas têm valor e, conseqüentemente, ela própria tem valor.

O contrário da confirmação é a "negação".

Por ignorar as necessidades da criança, o incesto anula seus direitos e suas necessidades.

A vítima aprende que também ela não tem valor.

Poderia muito bem não existir.

Estou me referindo, aqui, ao amor verdadeiro, não possessivo.

O amor não possessivo é o amor da ausência, ensinado sobretudo pelo pai. Ele consegue estar muito presente do ponto de vista afetivo, mesmo quando se distancia fisicamente do filho por estar separado da mãe ou viajar constantemente, como escrevi em o *O novo pai*.

É o amor sem expectativas e sem amarras.

Não há condicionamentos.

A dádiva do amor como qualquer outra, é somente um presente.

Na sedução do incesto, entretanto, o adulto dá com uma mão e tira de volta com a outra.

A vítima é exatamente a possessão.

Ela aprende a relacionar amor com independência.

A mensagem é: produza, atue e terá amor.

Para ter amor, é preciso ser possuída e possuir.

É claro que não existe nenhum amor nessa equação.

Não há nenhuma oportunidade de desenvolver um senso de utilidade quando é tratada como inútil.

E ainda se vê junto com um pacote chamado amor de pessoas cujo dever seria simplesmente amá-la.

Então, ela assimila o significado desses termos, e passa a acreditar que "amor" requer sacrifício, que é alguma coisa funcional feita, não oferecida.

COMANDO CONTROLE

Já ouviu falar nisso? Comando controle?

Comando é impacto. Ele dá à criança a noção de que ela faz a diferença, de que faz falta e de que esforço e empenho são decisivos.

A criança desenvolve um senso de comando quando tenta e consegue.

Ela se sente bem quando controla o seu mundo.

O bloqueio de comandos resulta em passividade e resignação.

A criança vítima do incesto aprende que não tem poder. Seus esforços não valem a pena.

Não importa o que diga, não importa o que faça, ela não é ouvida e o abuso continua.

Alguém pode sempre ter a direção e o controle dela.

Ela aprende a partir dessa experiência que não tem comando sobre sua própria vida, que não tem controle sobre o ambiente que a cerca.

ACEITAÇÃO INCONDICIONAL

Esta é realmente uma diferença de puro amor.

Significa que a criança é amada justamente como ela é, não por viver por meio de valores e modelos de outras pessoas.

Ela é amada, não pelo que ela realiza, como senta na cadeira, comporta-se na hora de comer ou se derrama seu leite.

Ela pode esperar amor, mesmo quando não é perfeita.

A criança vítima de incesto, entretanto, não é amada por ela mesma, mas pelo fato de tratar "bem" outra pessoa.

O incesto ensina a ela que não merece aceitação pelo que é, e que não deve esperar por isso.

EGO E INTEGRIDADE CORPORAL

A criança deve aprender a ter respeito e limites físicos e psicológicos. Precisa saber onde ela termina e onde a outra pessoa começa.

Ela precisa saber que é um ser único, individual, com identidade distinta, necessidades, desejos e sentimentos pessoais.

Com limites definidos, ela é capaz de determinar, por exemplo, quando, como e por quem seu corpo é tocado.

O incesto bloqueia tudo isso, ensinando que ela é uma extensão do outro, de quem ela é próxima.

É como se ela não existisse como um ser separado, individual e único.

CAPÍTULO 10

LOUCURA OU TENTATIVA DE SOBREVIVÊNCIA?

Saia desta vida de migalhas
Desses homens que te tratam
Como um vento que passou
(...)
Mulher sem razão
Ouve o teu homem
Ouve o teu coração
Batendo travado
Por ninguém e por nada
Na escuridão do quarto
Na escuridão do quarto

(*Mulher sem razão* – Cazuza)

Os sintomas e comportamentos alterados têm a sua razão de ser: permitem à sobrevivente evitar lembranças e sentimentos dolorosos.

O isolamento e a solidão, a falsidade e a descrença, a ameaça e o medo ativam os mecanismos de proteção contra uma realidade que ela não consegue tolerar.

Precocemente, em sua vida, esta menina desenvolveu uma variedade de adaptações cognitivas.

É reação de defesa. Sobrevivência adaptativa.

Muitos profissionais podem avaliar essas adaptações como doentias e incluí-las no rol das desordens mentais. Pessoalmente, vejo tudo isso como criativas e admiráveis técnicas de sobrevivência.

São fantásticas adaptações de defesa.

Quantas vezes eu repetia que não existia loucura, mas sim adaptação.

Você passou por um enduro, um rali. E não tinha um jipe, só um triciclo.

Para enfrentar ou negar a violação sexual por parte de uma pessoa tão próxima afetivamente essa criança não pode procurar resolução emocional, muito menos fugir.

Sendo assim, é praticamente inevitável desenvolver dificuldades emocionais, relacionais e comportamentais que, se não forem tratadas, podem ter graves conseqüências.

Essas dificuldades não são *deficits*, mas reações normais diante de uma situação anormal.

Os efeitos "tardios" não são problemas resultantes, mas mecanismo de enfrentamento dos efeitos colaterais negativos.

Para nos atermos ao conceito de "disfunção" ou "desordem patológica" e suas conseqüências, atribuímos à sobrevivente do incesto fragilidade e esquecemos de reconhecer a força do seu espírito e sua criatividade para reagir às duras penas.

Ela não merece ser vista como **fraca** após sobreviver a um trauma dessa dimensão.

É uma tendência do profissional de saúde, médico ou terapeuta, valorizar mais a doença do que a saúde, a dor do que o prazer, a fraqueza do que a força.

Sempre tive uma visão diferente. Em *Mulher* escrevi muito sobre essa tendência da medicina de valorizar a doença.

Mas nunca vi Beija-flor ou alguma paciente que tratei como vítimas.

Vejo-as como sobreviventes.

Uma criança na puberdade, forte que enfrentou tantos obstáculos com seus poucos recursos adquiridos em idade precoce e mesmo assim resistiu.

Não devemos enfatizar a vitimização e ignorar a força do sobrevivente.

Muitas mulheres que conseguiram cicatrizar suas mais profundas feridas, verdadeiramente curadas, não se posicionam como vítimas e sim como sobreviventes.

A superação parcial ou total se faz com o enfrentamento terapêutico da verdade. Grupos e redes de apoio a vítimas de abusos são excelentes, pois as pessoas que viveram dolorosas experiências comuns se solidarizam.

É importante deixar bem claro: o que foi machucado e cicatrizado pode ainda interferir na idade adulta, mas muitas mulheres andam nesse mundão feridas, sim, mas não mortas pela depressão, nem consumidas pelas drogas.

Funcionam bem social, profissional, afetiva e sexualmente.

As que superaram são mulheres fortes, que responderam ao incesto com uma "força" natural dada à realidade que tiveram de enfrentar em sua tenra infância.

Mas aquelas que "não" contaram com a solidariedade da mãe são mais sujeitas a recaídas.

Devemos compreender quão limitadas foram suas chances de escolher.

Disse várias vezes à Beija-flor:

— Você não é louca. O incesto é louco.

— A experiência e a vivência da situação é louca.

— Você não tem uma doença mental.

— Você vive o luto de um assassinato infantil. Uma infância amordaçada.

Obviamente o que foi salvo nela pode eventualmente bloqueá-la em alguns setores de sua vida adulta. É perfeitamente compreensível.

Quando você é uma criança e sua vida depende de algumas pessoas, não há escolha.

E é evidente que essas pessoas deveriam enlouquecê-la.

Louca por estar preocupada quando "nada" era feito para você.

Louca para sentir-se **desconfortável** quando alguém tão próximo e que você ama muito nunca faria coisas desse tipo.

Louca para ver e sentir coisas que não estavam acontecendo a outras pessoas perto de você.

Louca por ser tão infeliz sobre o que ele (o pai) fez para você e que apesar de tudo chama de **"amor"**.

Louca por ser obrigada a guardar segredos ou negar a dor e não protestar.

Louca por não poder amar naturalmente.

Louca por não poder diferenciar sexo e afeto, autoridade e poder.

Louca por não poder respeitar e admirar seu pai.

Louca por não poder contar com sua mãe.

ESTRATÉGIAS DE DEFESA

Essas experiências levam a mulher-menina a purgar e eliminar lembranças indesejáveis.

Isso pode acontecer de várias formas. Algumas situações da vida adulta podem colocar o dedo na ferida.

O abuso pode bloquear a memória de alguns períodos de sua infância, sobretudo nos anos em que o incesto acontece.

Acompanhei três pacientes que não tinham lembranças entre os 5 e 12 anos. Era um vazio de recordações.

Uma outra maneira de se defender é separar sentimentos e emoções da experiência.

Anestesiar-se para encarar a situação de forma insensível.

Não mais se emocionam durante o abuso físico.

Não há sentimentos. É emoção de "estresse".

Há um bloqueio na percepção sensorial e nos receptores sensitivos.

Seus sentimentos e percepções são embotados.

O que acontece fora do corpo é anestesiado pela emoção.

Há outros mecanismos de defesa do nosso funcionamento mental.

Eles entram em ação diante de quaisquer possibilidades de intimidade afetiva, compromisso profissional ou relacional.

A sublimação, por exemplo, é a atração da sua dor e do seu medo em uma atividade que agrade seus pais.

A regressão, por sua vez, é voltar a se comportar por padrões mais infantis para amenizar o sofrimento, a angústia e o medo.

Além da sublimação e regressão, um terceiro mecanismo de defesa é o que os terapeutas chamam de "dissociação".

Incapaz de remover, evitar ou se afastar fisicamente do abuso, a criatividade da mente dessa criança encontra outras rotas de fuga.

Funciona como se você mentalizasse para sair de seu corpo, separar-se de você, o que pode ser chamado de dissociação.

Há um racha, uma divisão, um rompimento.

Imagine um daqueles filmes nos quais o indivíduo morre e o espírito sai do corpo e fica olhando o corpo real. Lembre-se de *Ghost.* É mais ou menos assim a sensação.

"Eu saía do meu corpo e flutuava, voava pelo meu quarto enquanto meu pai me tocava", contou uma paciente.

O problema é que essa dissociação pode se tornar terrorista, terrível e fora de controle. E se relacionar a outra condição comum. Por sinal, a mais criativa das reações cognitivas de proteção criada pelos sobreviventes: a múltipla personalidade.

Pesquisas demonstram que a maioria das pessoas com múltipla personalidade foi vítima de sadismo, castigos físicos implacáveis ou abuso sexual na infância.

Enquanto eu aprendia na teoria ou atendia na clínica mulheres que se apresentavam tão dissociadas, com personalidades distintas, não me convencia que muitas pessoas poderiam viver e atuar numa só vida mental.

Mas na convivência com Beija-flor eu compreendi a amplitude das reações cognitivas da mente humana.

Altíssimo QI, habilidades e atuações que mereciam verdadeiros "Oscars".

A inteligência, a esperteza, a astúcia são gigantescamente desenvolvidas numa tentativa de juntar os pedaços do emocional estilhaçado.

E imaginar que tudo isso foi criado na infância...

A totalidade da sua negação, o funcional arranjo demonstraram claramente que esse estado de consciência aparece sempre que emergem o medo, a ansiedade e a insegurança.

Trabalhos demonstram que na síndrome pós-traumática os indivíduos podem forjar mais de 200 personalidades. Tive pacientes que criaram diversos embaraços a familiares.

Para quem gosta de variar de mulheres, ou melhor, variar de tipos sociais e não se importar com o mesmo corpo, eu recomendo.

É a poligamia da personalidade.

Porém, tudo isso gera um alto desgaste de energia.

É por isso que um ator ou uma atriz, após uma novela ou um filme, precisa descansar.

Viver personagens que fogem da nossa essência desgasta.

Em simples termos psicológicos, a falta de energia para nossas motivações gera depressão e apatia.

A depressão é, então, a reação a uma perda, real ou imaginária: perda de uma pessoa, de uma crença valorizada, de um amor, de suas raízes.

A apatia consiste num estado em que nada nos traz motivação emocional.

Tudo na vida é motivação e esperança.

Os motores da vida, esperança e fé, animam a pessoa a caminhar.

Mas, na sobrevivente, são freqüentes as alterações entre períodos motivacionais e depressivos.

Os psiquiatras denominam esse tipo de depressão de bipolar, pois o humor oscila entre dois pólos opostos, a euforia e a agressividade.

Acompanha a sensação de desconforto, da falta de coragem e de injustiça.

Na depressão, há perda de todas as expectativas, então, mais uma perda não fará diferença. Mesmo quando começa a se relacionar ela pode perder o parceiro.

E se você não pode ser desapontada – se nada é bom e gostoso – então nada mais pode machucá-la.

Você pode iniciar sua cura protegida de um estrago adicional enquanto, psicologicamente falando, lambe sua ferida.

No entanto, ao contrário da opinião popular, sentir pena de si mesma pode muito bem trazer conforto e nutrir um pouco, dando condições para evoluir ou administrar a dor.

UM OUTRO OLHAR SOBRE A DEPRESSÃO

Depressão profunda é mais uma alternativa de sobrevivência, por um estado de anestesia e insensibilidade, criado como se estivesse um pouco morto.

Com suas emoções e processos mentais favorecidos e mais fortalecidos, suas lentas e progressivas respostas para um virtual rastejamento, ou seja, engatinhar seu nível energético, reduzido a uma virtual paralisia de movimento, a depressão do sobrevivente ao incesto é um bloqueio a sua insustentável realidade e protege mesmo da profundidade da sua dor.

Entretanto, ela pode sofrer também com esse "eventual" remédio.

Alivia uma dor, mas a causa está ali, infectando e liberando toxinas na sua circulação.

Relacionamentos, trabalho, pais, parentes, paixões e outras responsabilidades também fazem sofrer, e intensificam a dor.

Beija-flor piorava muito quando aparecia trabalho ou quando seus pais a procuravam.

A possibilidade de receber um telefonema da mãe já a angustiava.

Ela podia passar semanas, meses, até anos sem encontros familiares e havia uma forte possibilidade de que o álcool, a maconha ou drogas maiores substituíssem essa relação, causando dependência.

A outra droga usada é a religião. Entrar de cabeça no budismo, no catolicismo exagerado ou na comercial igreja evangélica.

Beija-flor nos últimos meses de vida intensificou suas idas à igreja.

A reza, a comunhão e o padre fazem parte do pacote dependência...

Freqüentava três grupos de oração por semana.

O mundo mágico da religião a auxiliava nos seus momentos de busca da felicidade.

John Lennon diria: "God is a concept by which we measure our pain" (Deus é um conceito através do qual medimos a nossa dor).

E a religião como analgésico não aplacava sua dor.

A depressão aumentava.

Dos males, o menor. Talvez, a partir da depressão ela pudesse retornar e viver.

Beija-flor me contava que sempre que fazia sucesso, sua pintura era admirada, entrava na Síndrome do Pânico, que nada mais é do que uma crise depressiva, e fugia, sabotando sua carreira e sua relação amorosa.

A depressão nesses sobreviventes é como uma "hibernação".

Quando a frente fria bate na porta, o inverno existencial esfria e congela as esperanças, a alegria de viver e a fé no amanhã.

Os antidepressivos aliviam o sintoma, mas não afastam a causa.

Às vezes, ela "surtava" saía do mundo real sem nenhuma razão ou por uma razão ainda não descoberta, compreendida ou conscientizada.

Dizia que se sentia louca e desconcertada, sem razão aparente.

O outro lado da depressão pode ser compreendido como uma enorme raiva direcionada inicialmente contra ela mesma, em primeiro plano, e depois contra o meio ambiente.

Ela atacava agressivamente a todos que a rodeavam, mas principalmente quem tocava seu coração.

Como sua "raiva" foi roubada quando não pôde expressar o seu ódio nas experiências incestuosas, passou a negar a vivência. Deixou de entender o porquê da agressividade.

Se não expressasse seu ódio e sua raiva, poderia morrer de abandono e desamparo.

Enxerga-se como uma alma penada que de qualquer forma vai morrer.

Convive diariamente com a culpa e direciona sua raiva e seu ódio para si mesma, o que dá margem a uma autodestrutividade ativa ou passiva.

Aí, os pensamentos suicidas são cotidianos. E com certa freqüência as pessoas chegam a tentativas reais de suicídio.

Principalmente nos casos mais graves, em que a dor pode aleijar o cérebro.

Beija-flor às vezes repetia: "Existem coisas piores que a morte. Você não conhece o tamanho do buraco e da escuridão".

Sabemos que a depressão causa sérias alterações químicas.

A composição bioquímica do cérebro fica alterada pelo trauma precoce.

A questão real é: o que veio antes? A alteração química ou o trauma?

Minha experiência como médico de mulheres me diz que o tratamento deveria sempre ser triplo: medicamentos, psicoterapia e grupo de apoio

A depressão é uma resposta razoável e necessária para certos eventos de nossa vida.

Após uma perda, é saudável o luto...

A sobrevivente do incesto vive de luto quase que todo o seu tempo e tem muitas razões para seu desespero e sua desesperança.

Sofreu muitas perdas, em especial a da sua infância e da sua inocência.

Chorar suas perdas é ter conhecimento de sua dor infantil para validar a si mesma de uma maneira que talvez ninguém jamais fez.

> **Não sou nada**
> **Nunca serei nada.**
> **À parte disso, tenho em mim**
> **Todos os sonhos do mundo.**
>
> Fernando Pessoa

Cai o pano

Alguns anos após o fim de nossa relação recebi um telefonema. Do outro lado da linha, a notícia que não queria ouvir e demorei para assimilar. Beija-flor havia morrido em um acidente de automóvel, na Europa.

Soube poucos detalhes, mas tenho certeza de que, em uma de suas crises, o peso da dor do abuso foi maior do que ela poderia suportar.

A imagem que procuro guardar dela é daqueles momentos em que sorria, aninhava-se no meu colo e fazia planos para desenvolver a sua arte.

Planos ceifados por uma família desajustada!

Algumas vezes, ela dizia que se sentia enciumada com a dedicatória que escrevi a uma antiga namorada num de meus livros.

Com seu rosto lindo, fazia beicinho ao pedir:

— Também quero uma dedicatória em um livro.

Ao finalizar essa reflexão, gostaria que ela soubesse, onde quer que esteja, que eu não fiz apenas uma breve dedicatória. Cada palavra deste livro foi escrita para ela.

Pra que mentir
Fingir que perdoou
Tentar ficar amigos sem rancor
A emoção acabou
Que coincidência é o amor
A nossa música nunca mais tocou

Pra que usar de tanta educação
Pra destilar terceiras intenções
Desperdiçando o meu mel
Devagarzinho, flor em flor
Entre os meus inimigos, Beija-flor

Eu protegi teu nome por amor
Em um codinome, Beija-flor
Não responda nunca, meu amor (nunca)
Pra qualquer um na rua, Beija-flor

Que só eu que podia
Dentro da tua orelha fria
Dizer segredos de liqüidificador

Você sonhava acordada
Um jeito de não sentir dor
Prendia o choro e aguava o bom do amor
Prendia o choro e aguava o bom do amor

(*Codinome Beija-flor* – Cazuza)